新 潮 文 庫

停 電 の 夜 に

ジュンパ・ラヒリ
小 川 高 義 訳

目次

停電の夜に

停電の夜に

A Temporary Matter

臨時の措置、と通知には書いてあった。五日間だけ、午後八時から一時間の停電になるという。天候が落ちついてきたので、吹雪でやられた箇所の復旧作業をするらしい。停電といっても、この道筋だけのこと。静かな並木道になっていて、ちょっと歩けばレンガの店先が何軒かならび、市電の停留所もある。夫婦が暮らして三年になる。

「通知してくれるだけ親切よね」文面を読み上げてからショーバが言った。シュクマールに聞かせるためというよりも、自分に向けて読んだようなものだ。書類でふくらんだ革カバンが肩からずり落ちたが、これを廊下に放っておいて、キッチンへ行った。ポプリン地で濃紺のレインコートを引っかけ、グレーのスウェットパンツに白いスニーカーという格好で、いま三十三歳。あんな女には絶対ならないと言っていた、そんな女になってきた。

帰り道、ジムへ寄った。クランベリー色の口紅が唇のまわりだけ消え残り、アイライナーは目の真下に木炭でもなすりつけたようになっている。こんな顔だったな、とシュクマールは思った。パーティーへ行ったり夜のバーで飲んだりした翌朝は、顔を洗うのも億劫《おっくう》らしく、ただただ彼にしなだれかかったものである。

ショーバは郵便をどさっとテーブルに置いたが、そっちへは目もくれずに、反対の手に持った通知だけを見ていた。「どうせなら昼間やってくれればいいのに」

「僕がいるときに、か」シュクマールはラムを煮ている鍋《なべ》にガラス蓋《ぶた》をした。いくぶんか湯気の逃げ道を残しておいた。一月からは自宅で仕事をしている。インドの農民一揆《いっき》をテーマに、博士論文の仕上げにかかっているのだった。「工事はいつから？」

「三月十九日だって。きょうじゃないの？」ショーバは冷蔵庫の脇《わき》の壁にかかっているコルクの掲示板に近づいた。ウィリアム・モリスの壁紙模様のカレンダーだけが留めてあった。まるで初めて見たように、しげしげと、上半分の模様をながめてから、下半分の升目と数字に目を移した。クリスマスに友人が送ってくれたものだが、去年はもう二人でクリスマスを祝う気分ではなかった。

「きょうからだわ」とショーバは言った。「そういえば、あなた、来週の金曜日は歯医者に予約してたのね」

シュクマールは舌先で歯をぞろりと舐《な》めた。けさは歯を磨かなかった。きょうに始まったことではない。きょうもきのうも一日じゅう家にいた。ショーバが外に出て、わざわざ職務外の仕事をかってでて残業がちになると、逆に彼は家にこもって、郵便が来たかと見ることもなく、フルーツやワインを買いに停留所のほうへ行くこともなくなった。半年前の九月、彼がボルティモアの学会へ出ていた留守に、ショーバは産気づいた。予定より三週間早かった。どうしても出たい学会ではなかったが、ショーバが行けと言った。そろそろ人脈づくりをしておかないと、来年は教職の口があるかどうかの勝負である。ホテルの電話番号はわかっている、と彼女は言った。旅の予定も飛行機のフライトナンバーも控えてある。いざとなったら友人のジリアンが車で入院させてくれる手はずなのだ。空港へと走り去るタクシーに、彼女は手を振って立っていた。ローブを着て、ふくらんだ腹に腕を一本あてがった姿に、まるで違和感はなさそうに思えたが。

あのときの、まだ妊婦だったショーバを見た最後のときを思うたびに、乗ったタクシーがまざまざとよみがえった。ステーションワゴンだった。赤い車にブルーの文字が入っていた。うちの車にくらべれば洞穴のように大きいと思った。シュクマールも背丈は百八十センチを超え、ジーンズのポケットに突っ込むと窮屈なくらいの手をしている男だが、後部座席におさまっていると小人になったような気がした。そうやってビーコン・ストリートを走り抜けながら、いつか自分たち夫婦もステーションワゴンを持つことになって、子供たちを音楽のレッスンや歯の診療に送り迎えするのではなかろうかと思った。しっかりハンドルを握っていると、横にいるショーバがうしろの子供たちにジュースのパックを持たせている——というような子育ての想像は、以前ならシュクマールの心を乱した。三十五にもなって学生の身分であることが、あらためて気にかかった。だが、あの朝、まだ木々の枝にブロンズ色の葉がゆさゆさついていた秋の朝は、そんな空想を初めていいものだと思った。

学会のスタッフが、どこも似たような会議室をさがしてシュクマールを見つけ、ぴんと張った真四角なメモを渡したのだった。電話番号だけだったが、シュクマールには病院だとわかった。ボストンへとって返したときには、もう終わっていた。死産だという。ショーバはベッドで眠っていた。手狭な個室で、付き添って立つのがやっとである。出産準備で案内されたとき、こんな病棟には来なかった。胎盤の力がなくなって帝王切開をしたのだが、いささか手遅れだったらしい。よくあることだと医者は言った。職業上の笑いとしては最高度に親身な笑顔だった。ひと月もしないうちに立って歩けるようになるだろう。産めない体になったわけでもない。

近ごろはシュクマールが起きれば、とうに彼女は出かけていた。起き抜けの目に映るのは枕《まくら》に残った長い髪の毛であり、頭に浮かぶのは整った身なりの妻が、三杯目のコーヒーを口に運びながら、ダウンタウンのオフィスで教育図書の校正をしている姿だった。色鉛筆を使い分けて、これこれの記号を書き入れる、と言っていた。あなたの論文が仕上がったら、その校正をしてあげる、のだそうだ。そんな仕事の具体性がうらやましかった。まとまらない論文とは大違いだ。研究者としては凡庸で、こまかい事実を寄せ集めることはできるのだが、心底打ち込んでいたとは言いきれない。それでも九月までは一応がんばって草案を練り、クリーム色を帯びた用箋《ようせん》に書きつけていた。だが、いまとなっては飽きるくらい一人で寝ころんで、クロゼットをながめてばかりいる。ショーバがきちんと閉めないものだから、ツイードの上着やコーデュロイのズボンが見えてしまう。どれを着ていこうと考えたりはしない。死産がどうあれ前学期はもう予定を変えられなかったが、春からは指導教授のはからいで、教える義務を免除されていた。院生としても六年目。「あとは夏もあることだし、ぐんとはかどっていいところだな」と教授には言われた。「今度の九月までには仕上がるだろうね」

べつにはかどってなどいなかった。そんなことよりも夫婦が顔を合わせないでいる技術を磨いたのではないかと思う。寝室が三つある家で、なるべくすれ違いを心がけていた。もはや週末が楽しみだとも思わない。どうせショーバは色鉛筆と書類をかかえてソファに坐《すわ》りきりになるから、自分の家でありながら、うっかりレコードもかけられない。あの女がじっと目を見つめて笑いかけてきたのは、いつのことだったろう。寝る前に体をさぐり合うことが絶え果てたわけでもなかった頃、夫の名前を小さく口にして呼んだのは、いつのことか。
あの当座は、いずれ収まると思っていた。ショーバとなら何とかなるはずだった。まだ彼女は三十三だ。ぴんぴんして動いている。だが、それが慰めにはならない。ようやくシュクマールが起き出して階下へ降りるのは、ほとんど昼時になることさえめずらしくなかった。コーヒーポットにショーバが飲み残した分がある。からっぽのマグとならべてカウンターに置いてあるのだった。

シュクマールはタマネギの皮を両手で取りまとめ、ゴミバケツの中へ――ラム肉から切り落とした脂身《あぶらみ》の筋の上へ――捨てた。流しに水を出して、包丁とまな板を濡《ぬ》らし、半分に切ったレモンを手の先へなすりつけた。こうすればニンニクの臭味がとれるとショーバに教わった。いま七時半だ。窓からは、ねっとり黒ずんだ空が見える。消えない雪が歩道に不ぞろいな盛りあがりをつけているが、だいぶ気温はゆるんだようで、道行く人も帽子や手袋をしていない。このあいだの吹雪では一メートルくらい積もったから、それから一週間ほどは、狭い溝ほどの通路を一列になってやっと歩いていた。だから一週間は外出をいやがる口実にもなった。いまでは歩ける幅が広がって、雪どけ水が排水溝の格子枠《こうしわく》へ休みなく落ちていく。

「火が通る前に八時だな」とシュクマールは言った。「食べるときは暗闇《くらやみ》かも」

「ロウソクでいいんじゃないの」ショーバが髪をほどいた。昼間はうなじで丸めている。スニーカーは紐《ひも》を結んだまま強引に脱いだ。「明るいうちにシャワーを浴びておくわ」と二階へ上がりかけた。「すぐ降りてくるからね」

シュクマールは妻のカバンとスニーカーを冷蔵庫の脇へのけた。こういう女ではなかったはずだ。コートはハンガーに掛け、スニーカーはクロゼットへ片づけ、請求書の払いもすばやかった。それがいまはホテルへでも帰ったようなつもりでいるらしい。てかてかした黄色い布張りのアームチェアと、紺とえび茶のトルコ絨毯《じゅうたん》が、とんちんかんな色合いになっている居間も、すでに眼中にはないようだ。裏の三和土《たたき》には、籐《とう》の長椅子《ながいす》にぱりっとした白い袋が放ったらかしてある。レースの生地が入っているのだが、あれだってカーテンに仕立てるのではなかったか。

ショーバがシャワーを浴びているあいだに、シュクマールは一階のバスルームへ行った。箱に入ったままの新しい歯ブラシが流しの下にあった。安っぽい硬質の毛が歯茎に痛くて、ぺっと吐いたら血が出ていた。これと同じ歯ブラシが、予備として金属容器にごっそり収まっている。いつぞや安かったときにショーバがまとめ買いをしたものだ。たとえば来客があって、急に泊まっていくことになっても平気なように。

いかにもショーバらしいとは言える。良きにつけ悪《あ》しきにつけ、あわてたくない性分だ。スカートでも財布でも気に入ったのが見つかれば、二つずつ買っておく。ボーナスが出れば自分名義の別口座に入れている。だから困るというわけではない。シュクマールが父を亡《な》くしたとき、すっかり気が動転した母は、子育てをした家を打っちゃらかしてカルカッタへ引きあげたから、あとの始末はシュクマールがやらされた。ショーバがあんなふうでないのはありがたい。先を見越す能力はあきれるほどにすごい。買い物がショーバの役だった頃は、イタリア料理かインド料理かに合わせて、オリーブ油かコーン油の瓶がたんまり常備されていた。また、果てしもない分量の、色も形もさまざまなパスタの箱があり、バスマティ米のジッパー袋があり、ヘイマーケットのイスラム系肉屋から半頭分単位で買いつけるラムやヤギの肉がぶつ切りの冷凍になって、これまた果てしもない数のビニール袋に入っていた。

隔週の土曜日ごとに、迷路のような市場の出店を縫って歩いたものだから、しまいにはシュクマールも道筋をすっかり心得ていた。おやおやという思いで目を丸くしながら、キャンバス袋を持たされて、どんどん買いまくる妻のあとにくっついていった。彼女は人混みをものともせず、朝日のもと、剃《そ》るほどの髭《ひげ》もないくせに歯が抜けているような若い衆と論戦の末、茶色の紙袋に入ったアーティチョークやプラムや根ショウガが、口をきゅっとひねられて、秤《はかり》にのせられて、放って寄こされるのを、つぎつぎに受け取るのだった。たとえ妊娠中だろうと、まわりから押されても平気だった。女ながらに上背も肩幅もあって、腰骨あたりは安産型だと医者が保証していた。チャールズ川に沿って車のハンドルを切る帰り道、よくもまあこんなに食糧を買い込んで、と二人してびっくりしたものである。

それが無駄ではなかった。ひとが遊びに来ようものなら、ショーバは冷凍や瓶詰めにしておいた材料で、半日がかりかと思われる料理を整えた。お手軽な缶詰とはちがって、ピーマンのマリネはローズマリーを添えた自家製だし、チャツネはトマトやプルーンを日曜日にぐつぐつ煮込んだものだった。ラベルを貼《は》った密閉式のジャーがキッチンの棚にびっしりならんで、封印したピラミッドというべき隊形が延々とつづいていた。これだけあれば、と口々に言われた。孫の代まで賞味できる——。

だが、もう食べつくした。シュクマールが備蓄を取り崩したのだ。二人分の支度のため、カップで米を量り、ビニール袋の肉を解凍する毎日だった。午後になると妻の料理本を丹念に見ていって、コリアンダーは粉末を小さじに一杯ではなく二杯だとか、レンズ豆は黄色ではなく赤いのを使うとかいう、鉛筆の書き込みにしたがった。どの献立にも日付がついていたから、初めて二人で食べた日がわかった。四月二日、フェンネルを薬味にしたカリフラワー。一月十四日、アーモンドとスルタナぶどう添えのチキン。とまあ、そんなものを食べた記憶もなくなっていたが、とにかく書いてある。校正係らしい小ぎれいな字だ。このごろは料理がおもしろくなった。それくらいしか生産性を感じるものがないとも言える。このおれがいなかったら、ショーバのやつ、シリアル一杯で夕食をすますに違いない。

今夜は電気が消えるらしいから、いやでも一緒の夕食になるだろう。このところの数カ月は、それぞれ勝手にできあがったものを調理台から取っていた。彼は勉強部屋へ持っていき、冷たくなるまで机の上に放っておいてから、思い出したように平らげたし、ショーバは居間へ持ち込んで、ゲーム番組を見るなり、色鉛筆を総動員して校正の書き入れをするなりしていた。

そういう夜に、彼女が来訪するのでもあった。来たな、と思うと彼は小説を読みさしにして隠し、またパソコンの文書に向かう。うしろから肩にのせられる手があって、彼女も青いモニター画面をのぞく。しばらく見てから「あまり根を詰めないでね」と言って、ベッドへ引きあげる。このときくらいしか彼女が寄ってくることはなかったが、それこそが彼の恐れるところとなった。無理をしているのがわかるのだ。部屋の壁を見まわしているではないか。去年の夏には二人で模様替えをした。ラッパを吹き太鼓をたたいて行進するアヒルさんやウサギさんが壁を縁取っていた。八月の末には、サクラ材のベビーベッドが窓辺に置かれた。さらに、ミントグリーンの取っ手がついたオシメ替え用の白い台と、チェック柄クッションのロッキングチェア——。そういうものはショーバを退院させる前に取り払って、ウサギさんとアヒルさんもへらで掻《か》き取ったのだった。何となく、ショーバほどには部屋へのこだわりがなかった。年が明けてから、図書館の閲覧席に居坐るのをやめ、わざわざこの部屋を仕事場にしたのは、こっちのほうが落ち着くせいもあるし、ここならショーバが来ないせいでもあった。

キッチンへもどって、引き出しをあけていった。ロウソクがあったはずなのだが、目につくのはハサミや泡立て器だった。すり鉢とすりこ木はショーバがカルカッタの市場で買ったものだ。これでニンニクやカルダモンをすりつぶしていた。彼女が料理をしていた頃の話だが——。さて、懐中電灯があったのはいいが電池がない。誕生日に使ったロウソクが箱に半分残っていた。去年の五月、思いもよらない誕生パーティーを彼女はやってくれた。この家に百二十人も詰めかけた。友だちやら、そのまた友だちやらだったが、そういうつきあいも、いまではきっちり計算して避けている。だが、あの日は浴槽がワインクーラーと化し、ヴィーニョ・ヴェルデが何本も氷に寝かされていた。妊娠五カ月のショーバは、マティーニグラスでジンジャーエールを飲んだ。カスタードとカラメルを使ったバニラクリームケーキもつくってあった。その夜ずっと、彼女はシュクマールの長い指に自分の指をからめたまま、パーティー客のあいだを縫って歩いた。

九月からは、客といえばショーバの母親くらいなものだった。アリゾナから出てきて、娘が退院したあとの二カ月は、ここの同居人になっていた。夕食の支度をして、自分の運転でスーパーマーケットへ出かけ、洗濯を全部引き受けて、ちゃんと片づけた。信心深い質《たち》だったので、客間のベッドサイドテーブルに祭壇のようなものをしつらえ、ラヴェンダー色の顔をした女神の肖像画とマリーゴールドの花びらを盛った皿を置いて、今度こそ丈夫な孫が生まれますようにと一日二度のお祈りをしていた。娘《むすめ》婿《むこ》とは一応うまくやっていたが、うちとける感じではなかった。デパート勤めをしたことがあるとかで、セーターをたたむ手つきが堂に入っていた。冬のコートのボタンがとれていたのを直してくれた。ベージュと茶色をまぜた襟巻きを編んで、これ落とし物じゃありませんかというように、味気なく渡してよこした。ショーバのことを話題にはせず、彼が死産の子の話をしかけたときは、編み物から目を上げて、「お留守だったわね」とだけ言った。

まともなロウソクがないというのが不思議でさえある。こんな非常ともいえない非常事態に無防備だとはショーバらしくもない。ともかく誕生日のロウソクを何かに立てなければいけないが、これはアイビーの鉢の土でいいと考えた。流し台の上の窓際《まどぎわ》にある。こうも蛇口に近いのに、すっかり干上がったままにされ、まず水をやってからでないとロウソクがまっすぐ立たなかった。それからキッチンテーブルの上を整理した。郵便物や、読んでもいない図書館の本。ここで新婚の食事をしたこともあったのだ。夫婦になったばかりで、ついに一つ屋根の下に暮らしているのがおもしろくてたまらず、馬鹿《ばか》みたいにくっつきたがり、食欲などそっちのけに体を求めあっていた。

刺繍《ししゅう》のあるマットを二枚敷いた。ラクナウにいる叔父から結婚祝いにもらったものだ。そして、ふだんは来客用にしている皿とワイングラスをならべ、さっきの鉢をテーブルの真ん中に据えた。縁の白い星形の葉をつけたアイビーを、十本のロウソクがぐるりと囲む。デジタルクロックラジオをつけて、ジャズをやっている局に合わせた。

「あら、どうなってるの」と、降りてきたショーバが言った。白い厚手のタオルに髪をつつんでいる。タオルをはずして椅子にかけると、濡れた黒髪がさっと背中に落ちた。ぼんやりと調理台のほうへ歩きながら、髪のもつれたところを指でなでつける。

洗いたてのスウェットパンツとTシャツ。その上に古いフランネルのローブを引っかけていた。腹は元通りにすっきりして、くびれたウエストからヒップが広がる。ローブの紐をふんわりと結んでいた。

そろそろ八時だ。シュクマールは卓上にライスを運び、きのうの晩のレンズ豆を電子レンジに入れてタイマーの数字をたたいた。

「ローガン・ジョーシュだわね」ショーバが鍋《なべ》のガラス蓋《ぶた》をのぞいた。パプリカ風味の煮込みである。

シュクマールは、ラム肉を取り出し、火傷《やけど》しないように素早くつまんだ。もっと大きな肉を、今度は取り分け用のスプーンで突ついて、すんなり骨が離れるか確かめる。

「ようし、煮えてる」

電子レンジが鳴ったとたんに、ちょうど明かりが消えた。音楽も止まった。

「タイミングぴったり」と、ショーバが言った。

「こんなロウソクしかなかった」と、彼はアイビーをライトアップして、残ったロウソクとマッチを自分の皿のそばに寄せた。

「いいじゃない」彼女は指を一本、ワイングラスの足にそって滑らせた。「きれいよね」

ぼんやりした闇の中で、この女がどういう坐《すわ》り方をしているのか、彼には見えるようだった。いくらか前にのり出して、足首を椅子の横棒あたりで交差して、左の肘《ひじ》をテーブルについているのだろう。

さっきロウソクをさがしていたら、空箱と思ったなかにワインが一本だけあった。これを膝《ひざ》にはさみつけ、コルク用の栓抜きをねじこむ。こぼすと面倒だから、グラスを引き寄せ、膝の上でワインをつぐ格好になった。二人がそれぞれに食べる。フォークでライスをまぜ、寄り目のようになってベイリーフやクローヴを煮込みから取りのぞいた。ほんの数分ごとにシュクマールは新しいロウソクを何本か灯《とも》し、鉢の土に突き立てた。

「インドみたいだわ」ショーバは、間に合わせの燭台《しょくだい》に火を絶やすまいとする彼を見ていた。「あっちは何時間も電気が来なかったりするじゃない。いつだったか、お食い初めでね、終わるまで暗かったこともある。赤ちゃんが泣きっぱなしよ。暑かったんでしょうねえ」

うちの赤ん坊は泣くこともできなかった、とシュクマールは思った。いくらショーバが招待客の陣容まで考えて、男の子なら生後六カ月、女の子なら七カ月の、初めて食べ物らしい食べ物を口にさせる役を三人の兄たちの誰に頼むかまで決めていたとしても、そんな米飯の儀式はもはやあり得なかった。

「あつい？」と、彼は火に映えるアイビーの鉢をテーブルの端へ、本や手紙が重なっているほうへ押しやった。ますます相手の顔が見えなくなった。二階の部屋でコンピューターに向かっていられないのが、急に腹立たしくなる。

「平気よ。これ、おいしい」フォークで皿をたたく。「ほんと」

またワインを注いでやった。どうも、と彼女が言った。

こんな夫婦ではなかった。いまでは無理にでも興味をひくようなことを言わないと、皿からも、あるいは校正刷りからも、彼女は目を上げない。そんなことが度重なれば、そうまでして喜ばそうとは思わなくなったし、だんまりでも気にならなくなった。

「そう、停電と言えば、祖母の家でね、一人ずつ何か言わされたのよ」ショーバは話を続けた。ろくに顔は見えないが声音からすれば、遠くのものを見るように目を細めているはずだ。そういう癖がある。

「言わされる？」

「べつに決まってないけど、詩の文句とか、ジョークとか、ちょっと嘘《うそ》みたいな話。どういうわけか、うちの親戚《しんせき》ときたら、わたしにはアメリカでの友だちのことを言わせたがった。そんなの聞いてどうするのかしらね。このまえ叔母に会ったら、トゥーソンの小学校でいっしょだった女の子四人はどうなったなんて聞くのよ。そこまで覚えてられないわ」

このショーバほど、シュクマールはインドへ行ったことがなかった。両親はニューハンプシャーに居を定めて、里帰りするとしても彼を連れてはいかなかった。ほんの子供の頃、初めて行ったインドでアメーバ赤痢にかかり、あやうく命を落としかけたことがあったので、これに懲《こ》りた心配性の父親が二度と連れていこうとはしてくれず、コンコードにいる叔母に預けられることになった。ティーンエージャーになれば、夏はセーリングのキャンプに参加したり、アイスクリーム屋でアルバイトしたりするほうが、カルカッタへ行くよりも楽しかった。ところが大学の最後の年に父を亡《な》くしたあとになって、インドに気持ちが向かうようになり、いわば一つの教科として本から歴史を学んだ。こうなると幼い頃の見聞が自分にもあったらいいのにと思った。

「そうしましょうよ？」いきなりショーバが言った。

「どうするって？」

「何か言いっこするのよ、暗い中で」

「たとえば？　おれはジョークの持ちあわせなんかないぜ」

「そういうのじゃなくて」と、しばらく考えてから、「いままで黙ってたことを言うなんてのは？」

「ああ、高校時代にやったっけな。——酔っぱらったときに」

「それってホントかウソかの遊びでしょう。そんなんじゃなくて、ま、いいわ、わたしからやるわね」彼女はワインで口をしめらせた。「あなたのアパートへ行って、初めて二人きりになったときに、住所録を盗み見させてもらったの。わたしのも書いてあるかなと思って。あれは知り合って二週間くらいだったかしら」

「おれはどうしてたんだろう」

「電話がかかって、隣の部屋へ行ったじゃない。おかあさんだったでしょう。どうやら長電話になりそうだったから、その隙《すき》に、自分が新聞紙の余白にメモされる身の上を脱したかどうか知りたくなったの」

「どうだった？」

「だめだった。それでも、あきらめなかったのよ。じゃ、あなたの番」

そう言われても思いつかないが、ショーバは聞くつもりで待っている。こんなに真剣な様子は、まったく久しぶりだ。いまさら、こいつに言うことがあるだろうか。なれそめの頃まで思い返してみると、あれは四年前、ケンブリッジの講堂だった。ベンガルの詩人グループが朗読会をした会場で、木の折りたたみ椅子《いす》に隣り合ったのが彼女だった。すぐに詩の言葉はわけがわからなくなり、所在ない感じがした。まわりの聴衆は要所要所でため息をついたり、真顔でうなずいたりしていたが、そうはいかない彼は、膝にたたんだ新聞に目を落とし、世界各地の気温を見ていた。きのうはシンガポールで三十三度、ストックホルムで十一度。ひょいと左を向くと、隣の女が書類フォルダーを机がわりに食料品の買い物メモを書いていた。それが美人なので、あっと目を見張ったのである。

「じゃあ、言うぞ」やっと思いつくことがあった。「初めて夕食のデートをしたときだ。ポルトガル料理の店だったろう。ウェーターにチップを渡すのを忘れたんで、翌朝もう一度行って、係の名前を聞いて、マネージャーにチップを預けておいた」

「それだけのために、サマーヴィルまで出直したの？」

「タクシーを拾った」

「どうして忘れたりしたのかしら」

もうロウソクは消えていたが、暗闇《くらやみ》にいる彼女の顔が見えるようだった。大きな上がりぎみの目、ふっくらした唇はブドウ色。顎《あご》にぽつんと見えるのは、二歳のとき子供用の椅子から落ちたあと。かつては夢中になった容貌《ようぼう》だが、日ごとに衰えていくような、と彼は思った。まるで余計だった化粧が、いまでは不可欠になっている。よく見せるというよりは、それでようやく出来上がるようなものだった。

「あの食事が終わるころには、何だか不思議な気分でね、ひょっとして結婚するのかな、なんて」と、こんなことは自分でも初めて認める気になったのだが、「それでうっかりしたんだろう」


次の晩、ショーバはいつもより早く帰った。きのうのラム肉が残っていて、これをシュクマールがあたためたから、七時には食べはじめていた。昼間のうちに、溶けかけの雪道を歩いて出かけ、細めのロウソクを一箱、近所の店で買ってきた。ついでに懐中電灯の電池も買った。そのロウソクは調理台の上の、蓮《はす》の葉のような形をした真鍮《しんちゅう》の燭台に立っている。だが、食事をしたときの光は、天井からテーブルの真上にさがっている銅のシェードがついた電灯だった。

食事をすませると、ショーバが意外なことをした。二人の皿を重ねて、流しへ持っていこうとしたのである。てっきり居間へ引きあげて、書類の山に立てこもるのかと思った。

「そんなのは放っといていいよ」と、彼は皿を妻の手からとった。

「放っとけるもんですか」彼女は洗剤をスポンジに飛ばした。「すぐ八時だもの」

心臓がびくんと跳ねるようだった。きょう一日、シュクマールは電気が消えるのを楽しみにしていた。住所録を見たとかいうショーバの話を考えていたのだった。あの頃の彼女を思い返すのが心地よかった。出会いのときは、大胆でも小心でもあるような、期待感をにじませた彼女だったが――。

流しの前にならんで立っていると、窓ガラスに映る影が寄り添っていた。へんに照れくさい。初めて二人で鏡に映るように立ったときの気分だ。ならんで写真を撮ったのはいつだったろう。パーティーに出ることも、どこかへ出かけることもなくなっていた。カメラに入ったままのフィルムには、庭にいるまだ妊娠中のショーバが撮れているはずだ。

皿洗いのあと、二人はカウンターにもたれかかり、タオルの両端で手をふいた。八時に家が暗くなった。シュクマールは灯心に火をつけた。すっと伸びた炎が頼もしかった。

「外で坐らない?」ショーバが言った。「まだ寒くないでしょ」

ロウソクを一本ずつ手にして、階段に腰をおろした。ところどころ地面に雪を残す戸外で坐るというのがめずらしかった。ところが今夜は誰もが外へ出たくなったようだ。さわやかな外気に誘われたのだろうか。ほうぼうで網戸の開けたてがあった。隣近所の人たちが懐中電灯を持って、ぞろぞろと行きすぎた。「本屋でものぞこうかと思いましてね」と、銀髪の男が声をかけた。奥さんを連れている。痩《や》せた女だ。ウィンドブレーカーを着て、犬の鎖を引いていた。ブラッドフォード夫妻である。九月にはお悔やみのカードを郵便受けに差し込んでくれた。「本屋には自家発電があるらしいですよ」

「そうでしょうね」と、シュクマールが応じた。「真っ暗じゃ字も読めません」

すると奥さんが笑って、夫の肘あたりへ腕をすべらせた。「ご一緒にいかが?」

「おかまいなく」ショーバとシュクマールが声を合わせた。ぴたりと同じことを言ったのにシュクマールは驚いた。

暗がりでショーバは何を言うのだろう。すでに最悪の可能性が頭をよぎっていた。じつは浮気をしている——。三十五にもなって学生の身分ではしょうがないと思っている——。あの母親と同じで、肝心なときにボルティモアへ行ったと恨んでいる——。だが、よぎったというだけのことだ。どちらにも不倫はなかったし、軽んじられているとは思わないし、ボルティモアへ行きなさいと言ったのは彼女のほうだ。たがいに知らない部分などあるのだろうか。眠っている彼女が指を丸めるのも、こわい夢を見ると体を震わすのも知っている。メロンならカンタロープよりハニーデューが好きなことも、退院した彼女がまず何をしたのかも知っている。家へ足を踏み入れるなり、手当たり次第、二人のものを廊下に放り投げたのだ。書棚の本、窓辺の鉢、壁の絵、テーブルにあった写真、調理台の上にかかっていた鍋。シュクマールは手出しを控えて、彼女が部屋から部屋へ計算したように動くのを見ていた。気がすむまで投げると、彼女は積み上がった品物を見つめて立っていた。さも不快げに口をゆがませていたので、唾《つば》でも吐くのかと思った。それから、わっと泣き出した。

階段に坐っていると冷えてきた。彼女から口を切ってもらいたい。それからお返しといきたいところだ。

「あなたのお母さんが泊まってたときにね――」やっと彼女が言い出した。「残業だと言った夜があるでしょう。じつはジリアンと飲みに行ったのよ。マティーニを」

その横顔を彼は見た。ほっそりした鼻筋、いくらか男性的な顎の線。あの晩なら覚えている。母親と食事をしながら、立てつづけに二クラス教えた疲れのせいでろくなことが言えないものだから、ショーバがいて話を進めてくれたらいいのにと思った。父が死んで十二年になっていた。その追悼というので、母が二週間ほど息子夫婦の家に来たのだった。毎晩、母の手料理で、父の好物だったものが食膳《しょくぜん》に出されたが、母自身はへんに思い出してしまって食べられないと、涙をあふれさせてはショーバに手をすられていた。「ぐっとくるわね」と、あの頃のショーバは言ったのだが。

ジリアンと飲んでいるショーバを思った。ベルベットの縞《しま》模様のソファだろう。よく映画の帰りに寄ったバーだ。きっと彼女はオリーブの実を一つ足してもらって、ジリアンにタバコをねだったのではないか。どうせ愚痴でもこぼしては、泊まっていかれるのも大変ねとか何とか言われていたのだろう。車で入院させてくれたのがジリアンだった。

「あなたの番よ」と言われて、現実にもどった。

道路の先のほうで電気工事らしいドリルの音がして、張り上げる声もあった。暗くなった家並みを見ると、一軒の窓にロウソクが灯《とも》っていた。寒い夜ではないのに煙突から煙が出ていた。

「東洋史の試験でカンニングしたことがある」と、彼は言った。「あれが最後の期末試験だった。親父《おやじ》が死んだ年だよ。隣の答案用紙が見えたんだ。ふつうのアメリカ人だが、マニアみたいなやつでね。ウルドゥー語とサンスクリット語を知っていた。詩形を特定せよという問題で、はっきりわからなかったから、そいつの答えを写しておいた」

十五年以上も前のことだ。だが、しゃべったら気持ちが軽くなった。

彼女がこっちを向いた。視線は彼の顔ではなく、靴へ行った。まるでスリッパのように、かかとを踏みつぶしている古いモカシン――。気になるのだろうか、いま言ったことが。すっと手を握って、「理由まで言わなくていいのに」と、すり寄ってきた。

九時になって明かりがつくまで坐《すわ》っていた。向かいの家のポーチで手をたたくのが聞こえた。テレビの音もした。ブラッドフォード夫妻がもどってきた。ソフトクリームを食べながら手を振ってみせる。ショーバとシュクマールも振りかえした。それから立ち上がり、ショーバに手をとられたままで中へ入った。

どういう具合か、はっきり言ったわけでもないが、決まりごとのようになった。双方から打ち明け話をするのだ。相手を、または自分自身を、傷つけたり裏切ったりしたような、ちょっとしたことを白状する。

翌日のシュクマールは、さて何を話したものかと考えあぐねていた。以前ショーバが購読していたファッション雑誌から女の写真を切り抜いて、一週間、本にはさんで持ち歩いていたことを言ってしまおうか。それとも、三回目の結婚記念日に彼女が買ってくれたニットのヴェストをなくしてしまったというのは嘘《うそ》で、じつは店で返金してもらい、とあるホテルのバーで昼間から一人で酔っていたと言おうか。初めての記念日のときには、十品もあるディナーを手づくりで用意してくれたものだった。ヴェストをもらって落ち込んだ。コニャックで重くなった頭で、「記念日だからヴェストなんだってさ」と、バーテンに愚痴った。「そんなもんですよ」という答えが返ってきた。「夫婦なんてのはね」

女の写真のほうは、なぜ切り抜きたくなったのかわからなかった。ショーバよりも器量は落ちた。白いスパンコールドレスを着て、愛想のない顔をして、細っこい脚にも色気は乏しい。袖無《そでな》しの腕を浮かせて、自分の耳を左右からぶん殴ろうとするみたいな格好だった。ストッキングの宣伝である。妊娠中だったショーバの腹が急に目立った時期のことで、もうシュクマールとしては妻に接したくなかった。ならんでベッドに寝転がり、雑誌を読む彼女を見ていたら、その写真が目に入った。あとで故紙の山に積まれていたなかから女を回収し、細心の注意をこめてページを破りとった。一週間というもの、日に一度は、内緒で姿を拝ませてもらった。ひどく欲求を感じたくせに、一分か二分も見ていれば欲求は嫌悪感《けんおかん》にすり替わった。彼の場合、あれが不倫に近づいた危機だった。

ヴェストのことは三日目の晩に話した。写真は四日目にした。彼女は咎《とが》める様子もなく黙っていた。しばらく聞き役でいてから、この日もまた、彼の手をとり力をこめただけだ。三日目に彼女が話したのは、いつぞや講演を聞いたあとの出来事だった。彼は学部長に話があったのだが、テリーヌの食べかすが顎についているのを彼女は教えてやらなかった。ちょっと腹の立つことがあったものだから、わざと知らん顔をしたのである。そこで彼は新学期からの研究員待遇をよろしく願いたいと弁じつづけ、彼女は指先を顎にあてるような信号も送らなかった。

四日目に彼女は、あの詩のどこがいいのかわからないと言った。たった一回だけ、ユタ州の文芸誌だったが、彼の詩が活字になったことがある。書いたときには、すでにショーバと知り合っていた。少女趣味だったんじゃない、とも言った。

停電の夜は特別な夜になった。ものが言えるようになったのだ。三日目の晩には、夕食のあとソファに坐っていていざ暗くなると、彼は妻の額に、顔全体に、へたなキスを始めた。暗いけれども目をつぶった。彼女もそうしているとわかった。四日目には、そうっと二階の部屋へあがり、ベッドへ行った。階段の一番上では、上りきったかどうか足をそろえるようにしてさぐった。とうに忘れていたことを思い出したように、この夜はがむしゃらに体を重ねた。彼女は声をたてずに泣いて、彼の名を小さく口にしては、暗闇のなか、指で彼の眉《まゆ》をなぞった。交わりのさなかに、あすの晩は何を言おうか、何を言われるだろうか、と彼は考えていて、それでまた欲望をそそられた。「抱きしめてくれ」と彼は言った。「腕に力をいれて――」階下で明かりがついた頃には、二人とも眠りこけていた。

五回目の夜が明けた朝、シュクマールが郵便受けを見ると、また電力会社の通知が入っていた。予定よりも早く復旧したのだという。拍子抜けだ。せっかくショーバのためにエビをクリーム煮にしようと思い立ったのに、材料を買いに行ったときには、なんだか料理する意気込みが萎《な》えていた。暗くなるのとならないのとでは、どうも勝手が違うようなのだ。店に出ているエビは色が悪く瘦せていた。缶詰のココナツミルクは埃《ほこり》をかぶっているうえ値段も高かった。それでも買うだけは買った。ついでに蜜《みつ》蠟《ろう》を一本とワインを二本。

七時半にショーバが帰った。「これでゲームもおしまいだね」と、通知を読んでいる彼女に言った。

彼女が目をあげた。「でも、その気になればロウソクにしたっていいでしょう」今夜はジムへ寄らなかったようだ。レインコートの下はスーツ姿である。化粧が直っている。

着替えに上がるというので、シュクマールは一人で先にワインをついで、レコードをかけた。彼女の好きなセロニアス・モンクのアルバム。

降りてきた彼女と食事を進めた。ありがとうとも、おいしいわとも言われなかった。暗くした部屋で、蜜蠟の光だけで、ただ黙って食べた。もう夫婦の危機は越えたろう。エビを食べてしまい、一本目のワインも飲んでしまって、二本目にかかった。ロウソクが燃えつきそうになるまで坐っていたが、彼女が動きをみせたので、何か言い出すのかとシュクマールは思った。ところが彼女はロウソクを吹き消し、立ち上がって、電灯のスイッチを入れ、また椅子《いす》に坐った。

「電気は消しとくんじゃなかったのか?」

彼女は皿を脇《わき》へのけて、テーブルに手を組んだ。「顔を見ていてほしいのよ。ちょっと話があるから」と、穏やかに言った。

彼の心拍が高まった。妊娠を告げられた日も、このとおりの言い方で、このとおり穏やかに切り出して、彼がバスケットボールを見ていたテレビを消したのだ。あのときは心の準備がなかった。いまは違う。

ただし、また妊娠だとは言われたくない。うれしそうな顔をさせられるのはかなわない。

「アパートをさがしてたんだけど、ひとつ見つかったのよね」と、彼の左の肩越しに何か見てでもいるように、彼女は目を細めた。誰が悪いわけでもないという。ずいぶん二人で暮らしたから、そろそろ一人になりたいのだそうだ。敷金くらいのヘソ繰りはある。場所がビーコン・ヒルだから、歩いて通勤もできる。じつは今夜、帰りがけに契約してきた――。

言いながら目を合わせてはこなかった。彼のほうでは、じっと見ていた。練習したようなセリフを言うものだ。このところアパートをさがしていたわけか。水道の具合を見たり、家賃には暖房や給湯も込みなのかと聞いたりしていたのだ。癪《しゃく》にさわる話である。このところの幾晩かは、別れて暮らすための下工作だったか。一方でほっとするが、やはり癪にさわる。この四日間、夜になると、話の持っていきようを考えていたわけだ。そういうゲームだったのだ。

では、こっちがしゃべる番だ。絶対に言うまいと思っていた材料がある。半年のあいだひた隠しにして、自分でも忘れるつもりだった。超音波診断に際して、彼女は子供の性別を教えないでくれと医師に頼んでいた。それにシュクマールも賛成した。生まれてからのお楽しみというのが彼女の意向だったのだ。

あとになって、まれに死産のことを口にしたときは、せめて知らずにすんだだけよかったと彼女は言った。先見の明だったとでもいうのだろう。知らないぶんだけ救われた。そして彼も知らないと思っているらしい。たしかにボルティモアからの帰りは遅れた。すべてが終わって、彼女は病室に寝かされていた。だが遅すぎたわけではない。赤ん坊が火葬される前に、その顔を見ていたし、この手で抱いてもいた。はじめは腰が引けたが、抱いてやるのも供養《くよう》ではないかと医者に言われた。ショーバは眠っていた。体を浄《きよ》められた赤ん坊は、ぼってりした瞼《まぶた》を閉じたきり、世界を見ようとはしなかった。

「男の子だったよ」と彼は言った。「肌の色は茶色というより赤に近かった。黒い髪の毛が生えていて、体重だって二キロは超えてたんだ。指を丸めていたけど、そういう寝相は母親似かな」

やっと彼女が目を合わせた。悲しみで顔がゆがんでいる。彼は学部時代にカンニングをした。女の写真を切り抜いた。ヴェストを返品して昼日中に酒をくらった。そういう話を聞かせたのだ。そして息子を抱いてもいた。母親の胎内でしか生きられなかった子を、病院の片隅の暗い部屋で、わが胸にあてたのだ。そのうちに看護婦がドアをノックして、赤ん坊を連れていった。あの日、ショーバには黙っていようと心に決めた。まだ彼女を愛していたから。それだけは知らずにいたいと彼女が願ったことだから。

シュクマールは立ち上がり、二人の皿を重ねて流しへ持っていったが、水道をひねることもなく窓の外を見た。まだ暖かさの残る宵で、腕を組むブラッドフォード夫妻が歩いていた。この夫婦を見ていたら、うしろの部屋が急に暗くなった。振り向けば、ショーバが電気を消したのだった。彼女はテーブルにもどった。ひと呼吸おいてシュクマールも坐った。二人で泣いた。知ってしまったことに泣けた。

ピルザダさんが食事に来たころ

When Mr. Pirzada Came to Dine

一九七一年秋、ある男の人が足繁《あししげ》くわが家へやって来た。ポケットにおみやげの菓子を忍ばせ、家族の安否を確かめたくて来るのだった。名前をピルザダさんという。ダッカから来ていた。いまではバングラデシュの首都だけれど、あの頃はまだパキスタンの領国にあった。パキスタンに内乱のあった年である。ダッカのある東パキスタンが独立を求めて、西の支配体制と戦っていた。三月にはダッカまでパキスタン軍に攻め込まれ、焼き討ちがあり、砲撃があった。教師たちは町に引きずり出され、撃たれた。女たちはバラックに引きずり込まれ、犯された。夏の終わりには死者三十万人といわれた。

ピルザダさんはダッカに三階建ての家があり、大学の植物学講師であり、二十年連れ添った奥さんとのあいだに六歳から十六歳まで七人の娘がいて、いずれもAで始まる名前がついていた。「母親の思いつきでしてね」ある日、財布から白黒の写真を出して、そう言った。女の子七人のピクニックである。編んだ髪にリボンを結び、一列にあぐらをかいた坐《すわ》り方で、バナナの葉に盛ったチキンカレーを食べていた。「誰が誰やらごちゃごちゃで——アイシャ、アミラ、アミナ、アジザ……ほらね」

ピルザダさんは週に一度は奥さんに手紙を書いた。七人それぞれにコミック本を送った。でも、大混乱のダッカでは郵便システムもまた崩壊していたので、向こうからの消息が届かなくなってもう半年を過ぎていた。そのピルザダさんはというと、ニューイングランドの樹葉調査のため、パキスタンの国費でもって、この年アメリカにいたのだった。春から夏にかけてヴァーモント州とメイン州でデータを集め、秋からはわたしたちのいるボストンの北の大学に移って、調査結果をまとめようとしていた。国費を支給されているのは名誉なことだったが、ドルに換算してしまえば、さほど潤沢とはいえなかった。そんなわけで本来なら院生向けの寮に寝起きしていたために、しっかりした炊事設備もテレビもなく、わが家へやって来ては、夕食をともにして夜のニュースを見ていたのである。

そんな事情を初めから知っていたわけではない。十歳のわたしにしてみれば、もともとインドの出で大学にインド系の知人も多い両親がピルザダさんを食事に招いたとしても、べつに不思議とは思わなかった。大学は小ぢんまりしたものである。レンガの小道があって、円柱をつけた白亜の建物がならんでいた。それが大学よりも小さいのではないかという町のはずれにあったのだ。スーパーマーケットにはマスタードオイルがなくて、医者は往診をしてくれず、ぶらりと隣近所を訪ねるつきあいもない。そんな不満が折々に両親の口から漏れていた。新学期が始まるたびに、二人して大学便覧を指でなぞるように見ては、同郷らしき苗字《みょうじ》に丸い印をつけるのだった。そうやってピルザダという名前を見つけ、電話をかけて、いらっしゃいませんかと誘ったのである。

初めて来たときのことは覚えていない。二度目、三度目の記憶もない。だが九月の末になる頃には、ピルザダさんが居間にいても当たり前と思うようになっていて、ある晩、水差しに氷を入れていたわたしは、まだ手の届かない戸棚から四つ目のグラスをとってほしいと母に言った。ところが母は、ホウレン草とラディッシュを炒《いた》める火加減を見ていたから、換気扇の音やら、さかんに動かすヘラの音やらで、わたしの声が聞こえないようだった。そこで父はと見ると、冷蔵庫に寄りかかり、スパイスのきいたカシューナッツを片手ですくうように持って食べていた。

「え、何か言ったか、リリア？」

「インドの人のグラス」

「ピルザダさんなら、きょうは来ないよ。それもそうだが、いまはピルザダさんをインド人といえる時代ではないんだ」父は、きれいな黒髯《くろひげ》についたカシューナッツの塩を払った。「インドとパキスタンの分離以来そうなった。国が割られたんだよ。一九四七年に」

それはインドがイギリスから独立した年ではないかとわたしが言うと、父は「そうでもある。さあ自由だと思った瞬間、ばっさり斬《き》られた」と言って、カウンターの上に指で×印を描いた。「パイを切ったみたいにな。こっちがヒンドゥー、あっちがイスラム。もうダッカはインドじゃなくなった」その当時はたがいに家に火をつけあったりしたものだと父は言った。しばらくは相手方のいるところでものを食べるなど考えられない時代だった。

わたしにはわけがわからなかった。ピルザダさんは両親と同じ言葉をしゃべるのだし、笑うジョークも一緒だし、見た目にもたいして変わらない。マンゴーのピクルスを食事のつけあわせにして、毎晩ライスを手にとって食べた。部屋に入るときは靴を脱いで、食後には消化にいいとして茴香《ういきょう》の種を噛《か》み、アルコールは嗜《たしな》まず、デザートとは名ばかりの味も素っ気もなさそうなビスケットを何杯もお代わりするお茶につけて食べる、というところも両親と同じだった。

それなのに父は、どうあっても違いをわからせようと、机の上の壁にテープで貼《は》りつけた世界地図のところへわたしを連れていった。わたしが見るピルザダさんは少々のことでは腹を立てないような人だったが、もし何かの拍子にインド人あつかいしたら気を悪くしないかと父は心配したのである。「ベンガル人だけれども、イスラム教徒なんだよ」とわたしに言い聞かせた。「だからインドではなくて東パキスタンに家がある」

父の指が大西洋を越え、ヨーロッパから地中海、中東と進んで、だらしのないダイヤモンド形をオレンジ色に塗ったような国へたどりついた。いつぞや母が言っていた、女がサリーを着て左腕を伸ばしたような国土である。あちらこちらに丸印がついていて、その都市を結んだ線も引いてあり、両親が旅した足取りを示していた。二人の生まれ故郷であるカルカッタには、小さい銀色の星がついていた。たった一度だけ、わたしも行ったことがあるはずなのだが、まるで覚えてはいなかった。

「ほら、見てごらん。別の国だから別の色になってる」と父は言った。パキスタンは黄色だった。オレンジではない。その黄色が明らかに二つに分かれていて、大きさがずいぶん違う。分かれた真ん中に大きなインドがあるのだった。いうなればカリフォルニアとコネティカットが合衆国から離れて、一つの国になったようなものである。

父はわたしの頭をこつこつたたいて、「当然、いまの情勢は知っているだろうな？東パキスタンの独立戦争になってるんだぞ」

うなずいてみせたものの、わたしは情勢を知らなかった。

父とわたしはキッチンへもどった。母は炊《た》きあげた米を水切り容器にあけていた。

父はカウンターの上で缶詰を一つあけて、まだカシューナッツを食べながら、眼鏡のフレームから上目遣いにわたしを見据えた。「いったい学校じゃあ何を教えてるんだ。歴史の授業はないのか？　地理は？」

「いろんな勉強があるのよ」母が言った。「いまはアメリカに住んでるんだし、リリアはこっちで生まれたんだもの」

　だからわたしの性格がどうということでもなかろうに、なんだか母は心底自慢げなのだった。母の見方だと、わたしは保証つきの暮らしができるらしいのだ。安全で、気楽で、しっかりした教育があって、いくらでもチャンスがある。配給の食糧を腹に入れることもなく、いつ出歩こうが取り締まられることもなく、屋根の上から暴動の様子を見ることもなく、撃ち殺されそうな隣人を水桶《みずおけ》にかくまってやることもない。そんな経験が父母にはあった。

「だって、この子をいい学校に入れるんでしょう。たとえ停電になったって灯油ランプで本を読ませるんでしょう。せっついて、家庭教師をつけて、年じゅうテストでしょう」と母は髪の毛をかきあげた。銀行窓口のパートタイムらしい長さに切った髪だ。

「インドとパキスタンの分離まで覚えろなんて、無理なこと言わないでよ」

「それにしても世界の勉強ってもんがあるだろう」父は手の中でカシューナッツをこ

ろころ揺すった。「何を教わってるんだ?」

もちろん、学校での授業といえば、アメリカの歴史であり地理であった。この年は、というか毎年そのように思えたのだが、まず独立戦争から授業が始まった。スクールバスの遠足では、プリマス・ロックを見学し、フリーダム・トレイルを歩き、丘を登ってバンカーヒル記念塔まで行った。また、色画用紙に絵を描いて、ワシントン将軍がデラウェア川の渡河を敢行するジオラマを組み立てた。白タイツをはいて髪に黒いリボンをつけたジョージ三世のあやつり人形をつくった。テストのときには十三州の白地図を配られ、名前や日付や首都を書き込んだ。そういう問題なら、目をつむっていてもできるくらいに教わった。

次の晩、ピルザダさんはいつもどおり六時にやって来た。いまさら初対面でもあるまいに、父とピルザダさんは会うたびにまず握手をかわすのだった。

「さ、どうぞ。——リリア、コートをお預かりして」

ピルザダさんが玄関ロビーに入った。まるで隙《すき》のないスーツ姿に、襟巻きをして、喉元《のどもと》に絹のネクタイの結び目がある。いつもプラム色、オリーブ色、チョコレートブラウンを組み合わせて着ていた。扁平足《へんぺいそく》の蟹股《がにまた》で、やや胴回りがあるものの引き締まった体型だ。しゃんとした姿勢を保っていたから、いわば重さの同じスーツケースを右と左の手に提げてバランスをとっているようだった。白髪まじりの髪がはらりと耳にかかって、浮世の騒がしさを遮音するかの気味がある。睫毛《まつげ》が濃い。ほんのりと樟脳《しょうのう》の移り香さえついている。たっぷり生やした口ひげの先が、愉快げに上を向いていた。左頬のちょうど真ん中に、レーズンを押しつぶしたようなイボがある。黒いトルコ帽はペルシャ子羊のウール製だ。落ちないようにボビーピンで留めてあったが、まるで判で押したように、この帽子をかぶって来るのだった。よかったら車で迎えに行きますよと父は何度も言ったけれども、ピルザダさんは寮からの道を歩きたがった。二十分ほどの距離を、木立や茂みを見ながらやって来るので、着いたときのピルザダさんは、秋の冷気で指の節々が赤らんでいた。

「また一人、難民がインド領へお邪魔しますよ」

「九百万人という推定が出ましたね」と、父は言った。

ピルザダさんがわたしにコートを持たせた。これを階段下のラックにかけるのがわたしの仕事になっていた。グレーとブルーの細かいチェック柄のウールだった。縞《しま》の裏地と角《つの》製のボタンがついていた。かすかなライムの香りが織地に染《し》みていたようだ。とくに表示らしきものはなかったが、ひとつだけラベルがついていて、くねくねした書体で「Z・サイード」と読める店名が、つややかな黒糸で縫いとってあった。樺《かば》や楓《かえで》の葉が一枚、ポケットに突っ込まれている日もあった。

それからピルザダさんは靴の紐《ひも》をほどき、脱いだ靴を壁際《かべぎわ》にそろえた。手入れの悪いわが家の芝生を歩いたせいだろう、しっとりした金泥《きんでい》のような汚れが爪先《つまさき》と踵《かかと》についていた。身軽になってしまうと、ピルザダさんは、釘《くぎ》を打とうとして壁の具合を見るように、せわしなく動く短い指でわたしの喉元をちょんちょんとかすめた。そうしておいて父のあとから居間へ行った。すでにテレビのチャンネルはローカルニュースに合わせてあった。二人が席についたところで、母がキッチンから皿を運んだ。コリアンダーチャツネを添えた挽肉《ひきにく》のカバブである。これを一つ、ピルザダさんが口に入れた。

もう一つ手を出しながら、「願わくば、としか言えませんが、ダッカの難民もこういうものにありつけないでしょうかね。あ、そういえば」と、スーツのポケットから取り出して、ハート形のシナモンクッキーが詰まった小さいプラスチックの卵をわたしにくれた。「お嬢さまに献上――」扁平足で支えた体が、わずかに会釈《えしやく》めいて揺れた。

「あのう、ピルザダさん」母が言った。「毎度いただいてばかりで困りますよ。娘のためになりません」

「あげても大丈夫だと思うお子さんにだけ、こんなことをするんですよ」

わたしには決まりの悪い瞬間だった。恐ろしくもあり楽しみでもある中途半端《はんぱ》な気分がした。ずんぐりして洒脱《しゃだつ》なピルザダさんがいるのは愉快だったし、ちょっぴり芝居っ気を見せてくれたような態度もうれしくなるのだったが、ああまで悠然と構えていられると、ふとわたしのほうが他人の家にいるような、穏やかならざる錯覚を覚えたものだ。

そんなことだけが慣例のようになって、もっと気のおけないつきあいができるようになるまでの何週間かは、それ以上ピルザダさんがわたしに話しかけることはなかった。蜂蜜《はちみつ》入りのドロップや、ラズベリー風味のトリュフチョコ、細長い酸味の焼き菓子などが、絶えずこちらへ流れてきたのだが、それでもわたしは静かなままで、とりたてて応ずる態度を見せたわけではない。ありがとうとさえ言いづらかった。うっかり言ったときには――ひらひらした紫色のセロファンにくるまれたとびきりのペパーミント味ロリポップをもらったから言ったのだが、かえって「ああ、またサンキューか」と逆襲されてしまった。「銀行でも、商店のレジでも、図書館に期限切れの本を返しても、サンキューと言われる。ダッカへ国際電話をかけようとして結局つながらなくたって交換手がサンキューだ。この国で死んだら、きっとサンキューと言われながら土に埋まるんだろうね」

ただわたしとしては、ひょいと持たされるキャンディーを、むしゃむしゃ食べるわけにはいかなかった。毎晩もらえる宝物が、たとえば宝石とか、発掘された古代王国のコインででもあるかのように、へんに惜しいのだった。そこでベッド脇《わき》にあった小物入れにしまった。これは白檀《びゃくだん》を彫って仕上げてあり、その昔はインドで父方の祖母が、朝の沐浴《もくよく》のあとで口にするための砕いた檳榔《びんろう》の実をしまっていた箱である。まるで見知らぬ人だった祖母との唯一《ゆいいつ》のつながりだった箱で、ピルザダさんがわたしたちの暮らしにあらわれるまで、何か入れようと思ったことはなかった。歯を磨いて次の日に学校へ着ていく服を用意する前に、その箱の蓋《ふた》をあけてはお菓子を一つ食べるようになったのだ。

さて、この晩、いつものことながら食事はダイニングテーブルではなされなかった。その位置からはテレビが見にくかったからである。だから、わざわざコーヒーテーブルに寄り集まって、ろくな話もせず、膝《ひざ》の上にあぶなっかしく皿をのせていた。料理は母がキッチンからつぎつぎに運んできた。揚げタマネギを添えたレンズ豆、ココナツ風味のサヤインゲン、魚とレーズンのヨーグルトソース煮込み——。あとからわたしも水のグラスや、くさび形に切ったレモンの皿や、トウガラシを持っていった。月に一度くらいはチャイナタウンへ行くことがあったから、トウガラシをまとめ買いしてフリーザーに入れておいた。指先でちぎって、料理にまぜ込むのだ。

食前に、ピルザダさんは一つおかしなことをした。あっさりしたデザインの銀時計を胸ポケットから取り出して、髪の毛のかかった耳へ近づけたかと思うと、親指と人差し指でくるくるくるっと三度ネジを巻いた。この懐中時計は、とわたしに言ったことがある。腕時計とはちがって、ダッカの時間に合うように十一時間進めてあるのだそうだ。この時計が食事中ずっと、コーヒーテーブルのたたんだ紙ナプキンの上に置かれていた。そのくせ見ようとする気配はなかった。

ともかくピルザダさんがインド人ではないと知ったわたしは、ことさら入念に観察し、いったいどこが違うのかと考えるようになった。そして違いというなら、きっと懐中時計だってそうなのだと思った。あの晩、ネジを巻いてコーヒーテーブルに置くのを見ているうちに、ある不安がわたしに取りついた。どうやら人間の暮らしはダッカが先行しているらしいのだ。わたしの頭にピルザダさんの娘たちが浮かんだ。朝起きて、髪にリボンを結んでいる。そろそろ朝食で、学校へ行く支度をしているのだろう。だったら、こっちの生活は、食事をするにつけ、ほかの何をするにつけ、あっちで終わったことの影みたいな、もっさりした亡霊みたいなものではないのか。ほんとうはピルザダさんもそっちの人なのだ。

六時半。全国ニュースが始まるので、父はテレビの音量を上げ、アンテナを調節した。いつもならわたしは本でも読みだすところだが、きょうは見ているようにと父に言われた。すると画面上に見えたのは、埃《ほこり》っぽい街路を押し進む戦車隊であり、倒壊したビルであり、めずらしい木々の森であった。その森へ東パキスタンの難民が流れ込み、危険を逃れてインド国境を越えようとしていた。扇形の帆をつけたボートがコーヒー色の大河をただよい、大学にバリケードが張られ、新聞社は焼け落ちていた。

ピルザダさんのほうを見ると、その目の中にミニチュアの映像がちらついていた。テレビを見るピルザダさんに、ある不動の表情があった。沈着だが神経は張りつめている。あてもない目的地への道順を聞くような顔とでもいおうか。

コマーシャルになって、母はライスのお代わりを取りにキッチンへ立った。父とピルザダさんは、ヤヒヤー・カーンとかいう将軍の愚策を論じていた。二人が話題にする陰謀説はわたしにはさっぱりだったし、どんな惨事になりそうなのかもわからなかった。

「ほら、ああして懸命に生きてるんだ。おまえくらいの子供ならわかるだろう」魚をもう一切れくれながら父は言った。だがわたしは食べられなくなっていた。すぐ隣にオリーブグリーンの背広姿で坐《すわ》っているピルザダさんに、こっそり目を走らせているだけだった。静かな手つきでライスをくぼませているのは、もう一度レンズ豆を取り分ける場所にしようというのだ。

苦悩をかかえた人というのがこんなものだとは、わたしには思われなかった。それとも、ふだんから服装を崩さないのは、たとえ急な葬式にでも飛んでいけるというような、どんな悲報にも泰然と処する覚悟からなのだろうか。

またわたしは、あらぬことを考えた。もしもピルザダさんの娘が七人そろってテレビに出たらどうだろう。バルコニーのようなところから、にこにこ顔で手を振って、ピルザダさんに投げキスをする……。そんな姿を見たら、どれだけピルザダさんが安心するだろうと思ったが、あり得ることではなかった。

その夜、わたしはハート形シナモンクッキーの詰まったプラスチックの卵を、ベッド脇の箱にしまったのだが、儀式めいたいつもの満足感はなかった。オーバーコートにライムの香りをただよわすピルザダさんは、さっき明るいカーペット敷きの居間でテレビに映しだされた暑苦しい混迷世界とつながっているらしい。そんなことはなるべく考えまいとしたのに、しばらくそれしか考えられなくなった。何度も画面にちらついた叫ぶ流民のなかに、奥さんや七人の娘たちもいるのかと思うと、胃袋を締めつけられるようだった。

こんな映像を振り払いたくて、部屋の中へ目をあててみた。ひだ飾りのカーテンとデザインを合わせた天蓋《てんがい》つきの黄色いベッド。壁紙は白とバイオレットで、そこに額入りのクラス写真。クロゼットのドアの横には、父がわたしの誕生日ごとに身長を記録してくれた鉛筆書き。

でも、いくら気持ちをごまかそうとしても、かえってごまかしがきかなくなった。どう考えても、ピルザダさんの家族は死んでいるのではないか。

結局、わたしはあの箱から四角いホワイトチョコレートを一枚取り出して、包み紙をとったのだが、そのあとでまったく初めてのことをした。口に入れ、ぎりぎり待てるだけ待ってから、やわらかくなったチョコレートをゆっくり嚙《か》んで、ピルザダさんの家族が無事でいますようにと祈ったのである。わたしはお祈りなどには無縁で、そういう躾《しつけ》もされていなかったが、この際そうしたほうがいいと思った。

この夜、わたしはバスルームへ行ったものの、歯を磨く真似《まね》をしただけだった。磨いたらお祈りまで口から流れてしまいそうな気がした。そこで、父や母に何とも言われないように、歯ブラシを水で濡《ぬ》らし、歯磨きチューブも適当に動かしておいて、糖分を舌に残したまま寝てしまった。

わが家の居間で熱心に動向を追った戦争のことを、学校では誰も話題にしなかった。あいかわらず授業ではアメリカの独立革命を勉強し、代表なくして課税されることの非道を学び、独立宣言の抜粋をそらんじた。休み時間になると、男の子たちは二つのグループに分かれ、ブランコやシーソーのあたりで猛烈な追いかけっこをした。植民地とイギリス軍なのだった。

教室ではケニオン先生が、黒板のてっぺんから映画スクリーンのように出てくる地図を何度も指し示しては、メイフラワー号の航路だとか自由の鐘のある場所だとか言っていた。毎週、クラスのなかから二人が当番になり、独立革命に関わるテーマを決めてレポートを提出した。そこで、ある日、わたしは友だちのドーラと図書室へ行かされ、ヨークタウンでのイギリス軍降伏について調べることになった。先生に渡されたメモには、カードで検索するようにと三冊の書名が書いてあった。すぐに見つかったので、ドーラとならんで低い丸テーブルにつき、ノートを取ろうとした。

ところが集中できず、わたしは色の薄い木製書棚にもどっていった。「アジア」という表示の分類区分があったのである。中国、インド、インドネシア、韓国というような本があって、とうとう『パキスタン——国土と国民』という一冊を見つけた。わたしは踏台に腰をおろし、その本を開いた。ラミネートのかかったカバーが手の中で音をたてた。ページを繰ると、川や田んぼや軍服の男の写真がふんだんに出てきた。ダッカを解説した章があったので、降水量やジュート生産高を見ていった。人口統計をながめていたら、ドーラが通路にあらわれた。

「何やってるの、こんなとこで。先生が来てるのよ。図書室の見回りらしいわ」

あわてて本を閉じたが、その音がいけなかった。ケニオン先生が顔を出した。とたんに香水のにおいが狭い通路にあふれ、まるでわたしのセーターに髪の毛がついていたとでもいうように、先生は本の背をつまんだ。ちょっと表紙に目を落としてから、わたしを見て、

「これもレポートに関係あるの、リリア?」

「ありません」

「じゃあ、見なくてもいいわね」先生は本棚のわずかな隙間《すきま》に本をもどした。「そうでしょ?」

何週間かたつにつれて、テレビに出るダッカの映像は減る一方になった。コマーシ

ャルの後回しにされた。二度目のコマーシャルタイムの後だったりもした。報道そのものが、伝わるまでに統制なり操作なりされていた。ざっと概況を振り返ってから死者数を述べておしまい、ということもめずらしくなかった。詩人の処刑、村落への放火はとどまるところを知らなかった。

それでも、連夜のように、わたしの両親とピルザダさんはのんびりした夕食をつづけた。テレビが消され、皿洗いがすんでしまうと、おもしろい話に花を咲かせ、ビスケットを紅茶にひたして食べていた。政治談義にあきてしまえば、ピルザダさんが書いているニューイングランドの落葉樹の研究や、父の教員身分が安定しそうなことや、母と同じ銀行に勤めているアメリカ人たちのおかしな食生活に話題が移った。そのうちにわたしは二階へ上げられるのだったが、カーペットの下からでも声は聞こえてきた。お茶をお代わりし、キショール・クマールの歌をカセットで聴いて、コーヒーテーブルでスクラブルのゲームをしては、英語のつづりがどうこうと言って笑いながら夜更《よふ》かしするのだった。

わたしも同じ席にいたかった。とにかくピルザダさんの慰めになるようなことをしたかった。でも、ダッカの家族の無事を祈ってキャンディーを一つ口にするくらいしか、わたしにはできないのだった。階下の三人は十一時のニュースがはじまるまでスクラブルで遊んでいて、それから真夜中ごろ、ピルザダさんが寮までの夜道を帰った。そんなわけでわたしがピルザダさんを見送るということはなかったが、毎晩、うとうと眠りかけながら声を聞いたようには思う。地球の裏側に新しい国が誕生すると言っていたようだ。

十月のある日、やって来るなりピルザダさんが言った。「どこの家でも入口にオレンジ色の大きな野菜がありますが、あれは何でしょうね。ウリみたいなものですかな」

「カボチャですよ」母が応じた。「そういえば、リリア、うちでもスーパーマーケットで一つ買うから覚えててね」

「どうしてまた？　何かの謂《い》われがあるんですか」

「おばけ提灯《ちょうちん》をつくるの」と、わたしはおっかない顔をしてみせた。「こんな顔で、人を追い払うような」

「ほう」ピルザダさんも似たような顔をして、「そいつは便利」

次の日、母は五キロほどありそうな丸々としたカボチャを買ってきて、ダイニングテーブルに置いた。まだ夕食前で、父とピルザダさんがローカルニュースを見ていた頃、母はわたしにマーカーで色をつけたらいいと言ったのだが、わたしはほかの家にあるような、ちゃんと彫ったカボチャにしたいと言った。

「そうだよ、そうしよう」と、ピルザダさんがソファを立ってきた。「今夜はもうニュースなんかどうでもいい」まるで勝手知ったるというように、すたすたとキッチンへ行き、引き出しをあけてもどってきたときには、ぎざぎざの刃がついた長い包丁を手にしていた。どうかな、と言いたげな目をわたしに向けて、「やっていい？」

わたしはうなずいた。こうして初めて、父母とピルザダさんとわたしまでが、四人そろってダイニングテーブルに集まった。テレビをつけっ放しにしたまま、わたしたちはテーブルに新聞紙を広げた。ピルザダさんは脱いだジャケットをうしろの椅子《いす》にかけ、オパールのカフスボタンをはずし、糊《のり》のきいたシャツの袖口《そでぐち》を折り返した。

「まず最初にてっぺんを、こう、ぐるっと一周」と、わたしは人差し指をまわして手順を教えた。

ピルザダさんは、ある程度の切れ目をつけてから、包丁を引きまわした。丸く切って蓋《ふた》のようになったところで、ヘタをつまんで持ち上げる。すんなりと離れた。そこを上からのぞき込んで、匂《にお》い立つ中身を検分した。母が長柄のスプーンを渡すと、なかをくり抜いて、筋や種をすべて取りのぞいた。父はというと、種を果肉からより分け、クッキー用のシートにならべて乾かしていた。あとで炒《い》るのだ。わたしは、でこぼこの縦目がついた表面に、三角形を二つ描いた。目である。ピルザダさんが忠実になぞって穴をあけた。さらに三日月形で眉毛《まゆげ》をつくり、もう一つ三角をつけたのが鼻だった。あとは口だけだが、歯をつけるのが難しくて、どうしようか迷った。

「笑い顔？　しかめっ面《つら》？」

「好きにしていいよ」とピルザダさんは言った。

そこでわたしは真ん中をとったというか、どういう湾曲もつけずに、明るいとも暗いともつかない口を描いた。彫りはじめたピルザダさんに遠慮めいたところはなく、一生これをやってきたのではないかと思うほどの手つきだった。

だいたい出来上がった頃、全国ニュースの時間になった。ダッカがどうとかと聞こえたようで、わたしたちは振り向いて耳をすませた。インド高官の発言だそうだ。これ以上東パキスタン難民をインド一国で負担することになれば、対パキスタン開戦もやむなしという。報道する記者の顔に汗がしたたっていた。ネクタイやジャケットではなくて、いまから戦場へ馳《は》せ参じてもおかしくない服装だった。灼熱《しゃくねつ》にさらされた顔をかばうようにしながら、カメラマンに向けてさかんに声を張り上げている。ピルザダさんの手から包丁が落ち、カボチャの底のほうへ切れ目が走った。

「しまった。ご勘弁を」と手を顔の横にあてたのが、なんだか頬をひっぱたかれたみたいだった。「どうも、この、まずいな。カボチャを一つ弁償しますよ。やり直しましょう」

「いやいや、とんでもない」父は包丁を引き受けると、いまの切れ目を広げるように整えた。わたしの描いた歯にはおかまいなしに削っていった。それで出来上がったのは、いやに大きな、レモンみたいな穴である。だから、うちのお化けカボチャは、冷静にびっくりしたとでもいうべき顔になった。眉毛もこわいものではなくなり、うつろな幾何学模様の目の上に、びっくりしたまま凍りついたように浮かんでいた。

ハロウィーンの日、わたしは魔女になった。いっしょに「お菓子くれないといたずらするぞ」に出かけるドーラも、やはり魔女だった。枕《まくら》カバーを黒く染めてつくったケープをはおり、大きなボール紙のつばをつけた三角帽子をかぶった。ドーラの母のだめになったアイシャドウで顔を緑っぽくした。わたしの母は、もともとバスマティ米が入っていた麻袋を二枚くれた。キャンディーをもらって歩くにはちょうどいい。

この年、そろそろドーラと二人で、おとなの付き添いなしに近所を歩いても大丈夫だろう、と両親が考えたのだった。わたしの家を出発点にドーラの家まで行き、無事に着いたという電話を入れる。帰路はドーラの母に車で送ってもらうことになっていた。

父はわたしたちに懐中電灯を持たせた。ちゃんと腕時計をして、父の時計と合わせもした。遅くとも九時には帰宅している予定だった。

夕方、やって来たピルザダさんが、箱入りのお菓子をくれた。チョコレートでくるんだミントだった。

「ここよ」と、わたしは麻袋の口を広げた。「お菓子くれないといたずらよ」

「なるほど。今夜はほかでたくさんもらえるんだ」と言いながら、袋に箱を入れてくれた。緑色になったわたしの顔と、あごの下で紐《ひも》を結んだ三角帽子を、しげしげと見た。ケープの端をそうっと持ち上げもした。わたしはセーターと、ジッパーつきのフリースジャケットを着ていた。「これで寒くないかい？」

うなずいた拍子に、かくんと帽子が曲がった。

それをピルザダさんが直して、「まっすぐ立ってるほうがよさそうだね」

階段下には小さいキャンディーを入れたバスケットがずらりとならべてあったので、ピルザダさんは脱いだ靴を、いつもとはちがってクロゼットの中へ置いていた。コートのボタンをはずしかけたから受け取るつもりで待っていたら、バスルームにいたドーラの声がした。あごにイボを描きたいので、ちょっと来てくれないかという。ようやく支度が整って、母が暖炉の前でわたしとドーラの写真をとった。それからわたしが玄関ドアをあけた。父とピルザダさんは、まだ居間へは行っておらず、なんとなく玄関近くにいた。もう外は暗い。空気にはしめった葉っぱの匂いがついていて、わが家のカボチャ提灯が玄関脇《わき》の低い茂みをバックにちらつくのが、なかなかの絵になっていた。遠くにざわざわと人の足音がした。大きな声は年長の男の子たちで、ゴムのマスクのほかに衣装はつけていない。がさごそと衣《きぬ》ずれの音をたてるのは、ずっと年下の子だ。親に抱っこされてまわるような幼い子もいた。

「知らない人の家へ行くんじゃないぞ」父が釘《くぎ》をさした。

するとピルザダさんが眉を曇らせ、「あぶないことでも?」

「大丈夫ですよ」母は言った。「どこの子も行くんですから。そういう日なんです」

「なんなら付き添いに行きましょうかな」と、ピルザダさんが言い出した。靴下だけの扁平足で立つ姿が、いきなり萎《しお》れたように見えた。目に浮いた狼狽《ろうばい》の色は、これまでにないものだった。気温は低いのに、わたしは枕カバーの衣装の下で汗ばんでいた。

「ほんとうに大丈夫なんです」と母が言った。「こうしてお友だちもいるんだし」

「しかし、雨でも降ったら？　迷子になることだってある」

「心配しないで」とわたしも言った。そんなふうにピルザダさんに言ったのは初めてだ。たったこれだけのことを、この何週間か言えなくて、お祈りで念じるしかなかった。やっと言えたと思ったら、わたし自身のために言っていたのだから、ひどい話だった。

ピルザダさんは太く短い指を一本、わたしの頬にあてると、自分の手の甲に押しあてた。緑色の染《し》みが移った。「お嬢さまの仰《おお》せなら仕方ない」と、会釈《えしゃく》してみせた。

わたしとドーラは少々おぼつかない足取りで歩きだした。はいている黒い靴は、間に合わせで買っただけの、先のとがった形なのだ。道路に出る手前で振りかえり、さよならと手を振ろうとしたら、まだドアをあけたままの玄関に、両親にはさまれた小柄なピルザダさんが立っていて、こちらに手を振っていた。

「いまの人、なんで付き添いに行こうかなんて言ったの？」と、ドーラが知りたがった。

「女の子がいるんだけど、みんな行方不明で」と言ったわたしは、言わなければよかったと思った。わたしが口にしたせいで、ほんとうに娘さんたちが消息を絶ったように、もうピルザダさんとは会えなくなったように思えた。

「え、誘拐されたってこと?」と、まだドーラが言っていた。「公園にいたら連れていかれたとか?」

「ごめん、まちがえた。いまの人がね、会いたくても会えないっていうだけ。外国にいるんだもの。しばらく離れてるのよ。それだけ」

わたしたちは小道をたどり、呼び鈴を押してまわって、家から家へと歩いた。雰囲気づくりに電気を消してしまっている家や、ゴム製のコウモリを窓につるしてある家があった。マッキンタイアさんなどは玄関前に棺桶《かんおけ》を置いて、その中からぬうっと起きあがると、白く塗りたくった顔で、キャンディーコーンをわしづかみに麻袋へ入れてくれた。インド人の魔女は初めて見たよと言う人もいれば、ものも言わずにお菓子をくれるだけの人もいた。

二本の懐中電灯から平行に伸びる光で行く手を照らしながら、わたしとドーラが歩いていくと、道の真ん中で卵が割れていたり、シェーヴィングクリームだらけの車が走っていたり、木の枝にトイレットペーパーが咲いていたりした。

ドーラの家まで歩いた頃には、二人ともふくらんだ麻袋を持つ手がすりむけそうになっていた。足も痛いほど張っていた。ドーラの母が靴ずれに巻く包帯をくれて、リンゴを搾《しぼ》ったあたたかい飲み物と、キャラメル味のポップコーンを出してくれた。

おうちに電話するのよねと言われてかけてみると、テレビの音が聞こえてきた。母の様子では、心配でたまらなかったわけでもなさそうだ。受話器を置いたら、ドーラの家にはまったくテレビの音がしないことに気づいた。ドーラの父はカウチに寝そべり雑誌を読んでいて、そばのコーヒーテーブルにワイングラスを置いている。ステレオからサクソフォンの音楽が鳴っていた。

ドーラと二人で今夜の戦利品を調べあげ、何がいくつあって、どれを交換して、と双方が納得したあとで、ドーラの母がわたしを車で送ってくれた。お礼を言って車を降りたが、わたしがちゃんと玄関に着くまで、車の中から見ていたようだ。そのヘッドライトが、めちゃくちゃに壊されたカボチャ提灯を浮かびあがらせた。厚い皮が割れて芝生に散っている。目の裏で涙が痛かった。急に喉《のど》がつまって苦しかった。靴ずれの足で踏んでいる小粒の砂利を喉に押し込まれたようなのだ。

ドアをあけながら、玄関を入れば三人が出迎えてくれるものと思っていた。カボチャは残念だったとか何とか言ってくれると思ったのに、誰も出てこなかった。居間にいたのだ。ピルザダさんと父と母が、ならんでソファに坐《すわ》っていた。テレビは消され、ピルザダさんが顔を手に埋《うず》めていた。

この晩に聞いたニュースは——それから何度も聞くことになったのだが——イン

ド・パキスタン両軍が、いよいよ緊迫の度を増しているというものだった。それぞれが国境に兵を集め、またダッカは独立のほかに道なしとして譲らなくなっている。そうなれば戦火にまみれるのは東パキスタンだ。アメリカは西パキスタンの味方である。まもなくバングラデシュとして生まれる国には、ソ連がついていた。十二月四日に宣戦布告があり、その十二日後に、三千マイルの補給線に苦しんだパキスタン軍がダッカにおいて降伏した。

そんなことも、いまのわたしだからわかるのだ。すでに歴史の本になっていて、どこの図書館にもおいてある。だが、あの頃は、いいかげんな手がかりしかなくて、雲をつかむような話だった。戦争のつづいた十二日間で覚えているのは、父がわたしにニュースを見ようと言わなくなったこと、ピルザダさんがお菓子を持ってこなくなったこと、母がライスとゆで卵しか夕食に出さなくなったことだ。ときどき、ピルザダさんがカウチで寝られるように母がシーツと毛布を広げ、それをわたしも手伝ったという記憶もある。両親がカルカッタの親戚《しんせき》に電話で様子を聞こうとして、真夜中に声を張り上げていたのも覚えている。ただ、何より印象が強かったのは、あの時期、あの三人が、まるで一人の人間になったように、食事も、身体《からだ》も、沈黙も、恐怖感も、ぴったりそろっていたことだ。

ピルザダさんは一月にダッカの自宅へ帰っていった。三階建ての家がどれだけ残っているか見にいったのだ。すでに暮れのころから、うちへはあまり来なくなっていた。原稿の仕上げで忙しかったからだ。わたしたちも、両親の友人宅でクリスマスをすごそうと、フィラデルフィアへ出かけていた。

ピルザダさんが初めて来たときの覚えがないように、最後のときも覚えていない。ある日の午後、父が車で空港へ送っていった。わたしは学校にいた。それから長いこと音信が途絶えた。夜になると、いつものようにわたしたちはニュースを見ながら食事をした。もうピルザダさんはいなくて、ダッカ時間を示す時計もないということだけが違っていた。

ダッカは議会制の新政府のもとで、少しずつ復興に向かったらしかった。その先頭に立ったのが、やっと獄中から解放されたばかりのムジブル・ラーマンで、戦災を受けた百万以上の家屋を建て直すべく、建設資材の援助を世界に求めていた。インド領へ逃げていた無数の難民がもどったが、故国で待っていたのは失業であり、また飢餓の脅威だったらしい。よくわたしは父の机の上の地図を見ては、その黄色く塗られた小さな一角にいるピルザダさんのことを思った。きっと汗みずくになって、ああいうスーツ姿で、家族をさがしているのだろう。もちろん、地図は古くなっていた。

何カ月かたって、イスラム暦の新年を祝うカードが、ピルザダさんから届いた。短い手紙も来た。妻子との再会を果たしたと書いてあった。みんな無事だった。シロングという丘陵地帯に妻の祖父母の家屋敷があり、そっちへ疎開《そかい》していて助かったという。七人の娘はちょっとずつ背が伸びていたが、そのほかは変わっていなくて、あいかわらず名前をまちがえそうになっているそうだ。すっかりお世話になりましたという手紙の結びに添えて、いまでは「サンキュー」の意味がしみじみわかるようになったと思うが、それだけでは感謝の気持ちを伝えきれない、とも書いていた。

うれしい知らせがあったお祝いに、その晩は母が夕食に腕をふるった。いつものコーヒーテーブルで席について、水のグラスで乾杯をしたのだが、わたしはお祝い気分になれなかった。ずっと顔を合わせていなかったのに、このとき初めてわたしはピルザダさんがいないことを嚙《か》みしめた。ピルザダさんに、と言いながらグラスをかざしたわたしは、このとき初めて、はるかに遠い人を思うということを知った。何カ月ものあいだ、ピルザダさんはこういう思いを奥さんや娘さんたちに抱いていたのだ。

もう来るはずのない人だった。また会うこともなかろうねと父母は言い、そのとおりになった。一月以来、毎晩寝る前に、わたしはピルザダさんの家族の無事を念じて、とっておいたハロウィーンのキャンディーを一つずつ食べることにしていた。この夜は食べなくてもよかった。やがて、みんな捨ててしまった。

病気の通訳

Interpreter of Maladies

茶店の前で停めるとダス夫妻が揉《も》めた。どっちが娘をトイレに連れていくかというのだ。そのうちに、きのうの晩、風呂《ふろ》の世話をしたのは誰だったという夫の言い分が通って、奥さんが折れた。カパーシーがバックミラーで見ていると、むだ毛を剃《そ》った露出度の高い脚を引きずるように横へ移動し、ぼってりした白いアンバサダーの後部席から、のんびりと奥さんが降りていった。娘と手をつないでやるでもなく、トイレのほうへ行く。

これから太陽神の寺院を見にコナーラクへ行くところだ。からりと晴れた土曜日。絶え間ない海風のおかげで、七月半ばの熱気もしのぎやすい。観光にはうってつけの日和《ひより》だった。いつもの運転なら、こんなに早い小休止はしない。ところが、けさはホテル・サンディ・ヴィラでこの家族を拾ってから、ものの五分とたたないうちに、小さい娘がぐずりはじめた。

ホテルの正面に子連れでたたずむダス夫妻を見た瞬間、ずいぶん若い夫婦らしいと思った。三十にも届くまい。ティーナという娘のほかに、ロニー、ボビーという男の子がいる。この二人はおっつかっつの年頃で、歯の矯正ワイヤーが銀色にきらめいていた。見たところインド人の一家だが、服装は外国人のようだった。ぱりっとした明るい色合いの服を子供に着せ、半透明なバイザーのある帽子をかぶせていた。

カパーシーは外国の観光客には慣れていた。英語ができるというので、そういう役がまわってくる。きのうもスコットランドの老夫婦を乗せた。どちらの顔も染《し》みだらけで、白髪がふわふわに薄いから日焼けした地肌まで見えた。

それにくらべれば、ダス夫妻はみごとに若々しい小麦色の顔である。こちらから名乗って挨拶《あいさつ》したとき、カパーシーは両手を合わせたのだったが、ダス氏はアメリカ式に強烈な握手をしてきたから、その力を肘《ひじ》にまで感じたくらいだった。だが奥さんはというと、にやっと口元で笑ってみせただけで、ただの運転手としか思っていないようだった。

茶店の前で待っているあいだに、年上らしいロニーがいきなり車外へ出ていった。ヤギが棒杭《ぼうぐい》につないであるのがめずらしかったのだろう。

「手を出すなよ」と、ダス氏がペーパーバックの旅行案内から目を上げた。「インド」という黄色い文字が見える。洋書らしい体裁だ。どことなく定まらない甲走ったような声は、男の声になりきっていないとさえ思われた。

「あれにガムやりたい」とことこ歩きながら子供が言った。

ダス氏は車を降り、少しだけ膝《ひざ》の屈伸をした。さっぱりと髭《ひげ》を剃っているから、ロニーという子をそのまま大きくしたように見える。サファイアブルーのサンバイザーをかぶって、半ズボン、スニーカー、Tシャツという格好だった。首から下げているカメラには、すごい望遠レンズがついていて、ボタンだの表示だのがごちゃごちゃとあって、こんな服装のわりにカメラだけが複雑なのだった。ヤギをめざして駆けだしたロニーを見て渋い顔をしたようだが、とくにやめさせる様子でもなかった。「ボビー、ちょっと行って、あいつが馬鹿《ばか》なことしないように見張ってろよ」

「行きたくない」ボビーに動く気配はなかった。この子は車の助手席にいて、グローブボックスに貼《は》ってある象神の絵に見入っている。

「大丈夫ですよ」と、カパーシーは言った。「おとなしい動物ですから」

カパーシーは四十六歳になる。すっかり銀色になった髪がだいぶ禿《は》げあがっているが、肌色はバタースコッチのようだし、額にしわも寄っていない。この額には、手のあいたときを見はからって、蓮《はす》の精油をぴちゃぴちゃと塗っている。だから、これでも若い頃はさぞかし、と思わせる相貌《そうぼう》なのだった。グレーのズボンに合わせたジャケット風な仕立ての半袖《はんそで》シャツは、腰まわりを細めにして、とがった大きな襟をつけていた。生地は合繊で、薄手だが長持ちする。仕立ても生地もそのように注文したのである。ツアー客相手に長時間の運転をするときは、こういう着崩れしないものがいい。

フロントガラスを通して見るロニーが、ヤギを一回りして、さっと横から手を出すと、とことこ帰ってきた。

「インドを離れたのは、お小さい頃でしたか？」ダス氏が座席にもどったところでカパーシーは言った。

「いや、ミーナも私もアメリカの生まれですよ」いきなりダス氏が自信をみなぎらせた。「生まれも育ちもアメリカ。親たちはアサンソールに引っ込みましたがね。老後は故国へもどったというわけで。私らも一年おきくらいに里帰りです」

駆けてくる娘にダス氏が目をやった。夏服についた幅の広い紫色のリボンが、ほっそりした茶色の肩の上ではねている。胸にしっかりと人形を抱いているのだが、その黄色い髪は、罰として鈍いハサミでぶっつり切られたように見えた。

「ティーナは初めてインドへ来たんだったね？」

「あたし、もうトイレ行かなくていい」

「ミーナは？」

この娘を相手に、自分の女房をミーナというのか、とカパーシーは思った。娘が指さすほうを見れば、茶店に雇われているシャツも着ていない男から、奥さんがものを買っていた。そうした男の一人がヒンディー語の流行歌を歌うのがカパーシーにも聞こえたが、それを背にして車へもどってくる奥さんには、歌の文句がわからなかったのだろう。ラブソングの内容に憤慨することもなく、迷惑そうでもなく、とにかく反応らしきものを見せなかった。

カパーシーは観察の目を向けた。赤と白のチェックのスカートは膝よりも短い。ごつい木製ヒールのついたスリッポンシューズ。男の下着のような、ぴったりしたTシャツ。その胸に、イチゴの形をした更紗《さらさ》のアップリケがある。背は低い。犬か猫のような小さい手。フロスティピンクの爪《つめ》は口紅と色を合わせている。やや丸みを帯びた体つきだ。夫よりは長いという程度に切りつめた髪は、だいぶ横のほうで分けている。ピンクがかったダークブラウンの大きなサングラス。大きな麦わらバッグは、持っている当人の胴体くらいあって、そのお椀《わん》のような形から水筒が一本突き出ていた。歩き方がゆっくりしている。ライススナックにピーナツとトウガラシをまぜあわせ、新聞紙で包んだものを手にしていた。

カパーシーはダス氏に向き直った。

「アメリカの、どのへんです？」

「ニューブランズウィック。ニュージャージー州の」

「ニューヨークの隣？」

「そのとおり。中学の教師をしてます」

「科目は？」

「理科ですよ。まあ、教師といっても、毎年生徒たちをニューヨークの自然史博物館へ引率していきますから、似たようなものじゃないでしょうか、私たちは。カパーシーさんはどれくらいツアーガイドを？」

「五年ですね」

奥さんが車にたどり着いた。「あとどれくらいなの？」と、ドアを閉める。

「二時間半ばかりでしょう」

そう聞いて奥さんは、まるで旅から旅の人生がいやになったというようなため息をついた。英語で書かれたボンベイの映画雑誌を折り曲げて、扇子の代わりにする。

「太陽神の寺院てのは、プリーから北へせいぜい三十キロじゃないのかな」ダス氏が旅行案内を指でたたいた。

「コナーラクまでの道がひどいものでして、実際には八十キロ以上あるものと思ってください」と、カパーシーが事情を述べた。

ダス氏はうなずいて、カメラのストラップを調節した。首筋にこすれて痛くなったのである。

イグニションを始動する前に、カパーシーはうしろに手をかざして、左右の後部ドアにロックがかかっているのを確かめた。ところが走り出したとたんに、女の子が近くのレバーをいたずらして、無理にかちゃかちゃ動かしはじめた。ダス夫人は何とも言わない。ただ後部席に場所を占めているだけで、しゃきっとしたところがない。買ってきた食べものを分けるでもない。その左右にロニーとティーナがいて、どちらもあざやかな緑色のガムをくちゃくちゃ嚙《か》んでいた。

「あ、ほら」スピードがあがりだしたところで、ボビーが言った。高い並木を指さしている。「ほら」

「サルだ！」ロニーが金切り声をあげた。「うわ！」

あちこちで群をなして木の枝に腰かけている。顔は光沢のある黒で、体毛は銀色、横一文字の眉《まゆ》をして、頭の毛も立派なものだ。長いグレーの尻尾《しっぽ》は、葉陰に何本ものロープが垂れているように見えた。黒い厚皮の手でポリポリ掻《か》いたり、大きく足を揺すったりしている。それが見開いた目で走っていく車を追うのだった。

「ハヌマンラングールといいましてね」とカパーシーは言った。「このへんには多いサルです」

そう言ったそばから、道の真ん中へ一匹ぴょんと降りてきたので、カパーシーは急ブレーキをかけた。もう一匹、今度は車のボンネットで弾みをつけて、すぐ飛びのいていった。

カパーシーはクラクションを鳴らした。子供たちに興奮が広がり、固唾《かたず》を呑《の》んで、手で顔を半分隠したりもした。

動物園でしか見たことがないもので、とダス氏が言った。写真を撮りたいから車を停めてくれないかとも言う。

それから望遠レンズの調節をしたのだが、奥さんのほうは麦わらバッグの中から無色透明のマニキュアを取り出して、人差し指にちょんちょん塗りはじめた。

すると女の子が、ついと手を出した。「あたしもやって。ママ、あたしにも塗ってよ」

「いま邪魔しないで」奥さんは爪に息を吹きかけ、いくぶん体をひねった。「だめになっちゃうじゃないの」

娘は仕方なしに、プラスチックの人形がしているエプロンのボタンをかけたりはずしたりして遊んだ。

「はい、よし」ダス氏がレンズキャップを元にもどした。

砂埃《すなぼこり》の道を車はがたごと進み、乗っていると相当に揺さぶられたが、奥さんは依然として爪を塗っていた。カパーシーは揺れを減らすつもりで、アクセルの踏み込みを弱めた。ギアに手を伸ばすと、助手席にいる子がすべすべした膝を引いて、カパーシーにぶつからないよう気を遣った。三人のなかでは色白だろうかとカパーシーは思った。

「パパ、どうしてこの車は運転席が反対なの?」と、その子が言った。

「インドはそうなんだよ、ばか」ロニーが言った。

「兄弟でばかとは何だ」と、ダス氏が言って、それからカパーシーへ、「まあ、アメリカとは、その……勝手が違うんですよ」

「ええ、わかります」カパーシーはなるべく慎重にギアチェンジをして、登り坂を前にアクセルを踏んだ。「『ダラス』で見ましたよ。ハンドルが左なんですね」

「『ダラス』って?」カパーシーの背後で、人形の服を脱がせてしまったティーナが、その人形で座席をたたいた。

「放送されたんだ」ダス氏が言った。「テレビの番組だよ」

どうも親子というよりは兄弟のようだ、とナツメヤシの並木をすぎながらカパーシーは思った。ダス夫妻を見ていると、一番上の兄と姉のようでしかない。たとえば、きょうだけ年下の面倒を見ることになったというようで、扶養責任を引き受けた日常があるとは考えにくいのである。

ダス氏はレンズキャップや旅行書を指先でたたいていた。親指の爪を立てて、ぱらぱらっとページにあてる音が聞こえたりもする。奥さんはさっきから爪の手入れをやめない。サングラスをかけたままだ。ときどきティーナが、あたしの爪にも、と繰り返しねだるので、とうとう奥さんは娘にも一滴だけたらしてやってから、マニキュアを麦わらバッグにしまった。

「エアコンつきじゃないの？」と、指に息を吹きかける口で言う。ティーナの側の窓が不調で、ガラスを降ろせないのだ。

「文句ばっかりだな」ダス氏が言った。「たいして暑くないだろ」

「だからエアコンつきの車にしてって言ったのよ」奥さんはあきらめない。「もう、ラージったら、ほんの何ルピーか惜しんで、こうなっちゃうんだもの。いくら倹約になった？　五十セント？」

こういう話し声のアクセントは、カパーシーがアメリカのテレビ番組で耳にしたのとそっくりだった。『ダラス』とは違っていたが。

「カパーシーさん、退屈しませんか。毎日、同じところを案内してるんでしょう？」

ダス氏が自分のほうの窓を全開にした。「あ、ちょっと、停めてくれませんか。撮っておきたいな、あの男」

カパーシーは路肩に停車し、ダス氏は写真を撮った。薄ぎたないターバンを巻いた裸足《はだし》の男だった。二頭の牛が穀物袋の車を引いて、その上に男が坐《すわ》っていたのである。男も牛もやせ衰えていた。

奥さんは反対側の窓から空を見た。透けるような薄雲が、抜きつ抜かれつ流れていく。

「いやあ、けっこう面白がってますよ」また走り出すとカパーシーは言った。「太陽神の寺院は、私も好きなところでしてね。そういう楽しみもあるということです。ツアーのお相手をするのは金曜と土曜だけでして、あとは別の仕事をしてます」

「へえ。どんな」

「ある医院でして」

「お医者さんですか?」

「私は違いますが、お医者さんとの仕事です。通訳なんですよ」

「どうして医者に通訳が?」

「グジャラート語を話す患者さんが多いんです。うちの親父《おやじ》はそっちの人間でしたが、このあたりにはグジャラート語のわからない人もいましてね。医者もそうなんです。

だから私が頼まれて、患者の言うことを通訳してるわけで」

「それはめずらしい。初めて聞いたなあ」

カパーシーはひょいと肩を上げた。「世間なみですよ」

「でも、ロマンチックだわ」いままで黙っていた奥さんが夢見るように言った。ピンクがかった茶色のサングラスを持ち上げて、髪飾りのように頭へ固定した。それで初めてバックミラーの中でカパーシーと目が合うことになった。色の薄い小ぶりな目だ。じっと見つめてくるが、眠たげでもある。

ダス氏が妻のほうへ首をひねった。「どこがロマンチックなのさ」

「そうねえ。何となく」きゅっと眉を寄せて、奥さんが肩をすくめた。「カパーシーさん、ガム食べます？」と明るく話しかける。麦わらバッグから取り出して、小さな四角形のものをカパーシーに持たせた。包み紙は緑と白のストライプだ。カパーシーが口に入れたとたんに、濃厚な甘い汁が舌の上ではじけた。

「もっと聞かせてくださいよ」と、奥さんが言った。

「さあ、どういう話がよろしいでしょうな」

「そうねえ」また肩をすくめて、また少しもぐもぐ食べて、口についたマスタードオイルをぺろりと舐《な》めた。「いかにも、っていうような話がいいわ」と、座席に体をあずけたので、上向いた顔に日光があたって目を閉じた。「聞いてみたいわ、どんなものやら」

「そうですか。じゃあ、先だってのことですが、喉《のど》が痛いという男が来ましてね」

「タバコを吸う人？」

「いえいえ。じつに変わってましたな。いうなれば長い麦わらが何本も喉にささったような痛みだそうでしてね。そのように私が医者に伝えて、しかるべき処方がされました」

「すっごーい」

「はあ」カパーシーはいささか戸惑った。

「じゃあ、患者さんにとっては頼みの綱ってわけよね」考えごとが声に出ているような、ゆっくりした口調である。「お医者さんより頼られてるともいえるんじゃない」

「そこまでは、ないでしょうけれども」

「だって、いまの麦わらの話で言えばね、もしかしたら焼けるような痛みなんて伝えちゃうこともあるでしょう。どう言っても患者にはわからないんだし、お医者さんもそのまま受け取るはずよ。責任重大だわ」

「たしかに重大ってことだなあ」と、ダス氏も言った。

そんなに誉《ほ》められる仕事だとは、カパーシーは考えたためしがなかった。どうせ地味な裏方でしかないと思っていた。ひとの病気を通訳して、どこの関節が腫《は》れたとか、下腹がさし込んだとか、手のひらの染《し》みの色や形や大きさがどうなったとか、そんな症状を精一杯、言葉にしているだけなのだ。

医者というのは、年齢でいえばカパーシーの半分くらいなものである。らっぱズボンがお好みで、笑えない冗談を飛ばしては国民会議派を皮肉っていた。仕事場である診療所は手狭で風通しが悪い。カパーシーの服は、体に合うだけに、暑苦しくへばりつく。黒ずんだ羽根の扇風機が天井でまわるのだが、どういうこともない。

この仕事は、うだつの上がらない人生を物語っていた。これでも若い頃は、ひたすら語学の道を歩んでいて、ずらりと辞書をそろえたさまは壮観なほどだった。外交官、政府高官の通訳をつとめるのが夢だった。民族なり国家なりの調停にかかわって、彼のみが双方を理解する立場にあるというような働きをしたかった。

独学である。両親に嫁の世話をされる以前には、夜の勉強で書き込んだノートが何冊もできていた。語源をたどって言葉と言葉をならべていったのだ。ある時期には、いざとなったらヒンディー語、ベンガル語、オリヤー語、グジャラート語はもちろん、英語、フランス語、ロシア語、ポルトガル語、イタリア語を操ってみせる自信もついていた。

いまとなっては、ヨーロッパの言葉など、ごくわずかの決まり文句か、「皿」や「椅子《いす》」のようなありきたりな単語が、かろうじて記憶にとどまっているだけだ。インドの言語のほかに、うまく話せるのは英語しかなくなった。この程度では、たいした才能ともいえないだろう。テレビを見ている子供たちのほうが、かえって英語がわかっているのかもしれない。それでも、ツアー客相手の商売には、まだまだ役に立っている。

こうして通訳になったのは、長男が七歳のとき腸チフスを患《わずら》ってからのことだ。それで医者と知り合いになった。その頃、中学の英語教師をやっていたカパーシーは、とめどなく膨らむ医療費をまかなうために、いわば物々交換として通訳を引き受けた。結局、ある晩、子供は母親に抱かれたまま、手足まで燃えるように熱くなって死んだのだが、そうなってからでも葬式代があり、すぐに生まれた次の子供たちがあり、なるべく新しい広い家を、いい学校や家庭教師をという思惑があり、ちゃんとした靴やテレビが欲しくもあった。また、寝言でも泣いている妻をどうにかなぐさめたいという事情もあったから、教師の給料の二倍は出すと医者に言われて、その話に乗ったのだ。

通訳を本業にしたことを妻は喜んでいないらしかった。つい死んだ息子を思ってしまうのだろう。ほかの命が助かって、そこにカパーシーがいささかなりと手を貸しているというのがやり切れないのだろう。もしも夫の職業を他人に話すようなことがあるとすれば、「医者の手伝い」と称していた。なんだか熱を計ったり溲瓶《しびん》を取り換えたりするのと同列に聞こえた。やって来る患者のことを妻は知りたがらなかったし、通訳の責任が重大であるなどと言うわけがなかった。

それをダス夫人がおもしろがったものだから、カパーシーも悪い気がしなかったのである。女房とは違って、通訳が頭を使う仕事だと思い出させてくれた。「ロマンチック」とさえ言ったではないか。この奥さんを見ていると、夫に対してロマンチックだとは思えないのだが、その人がカパーシーのことを言うのにロマンチックという言葉を持ち出した。

ひょっとしてダス夫妻はしっくりいっていないのではないか、とカパーシーは思った。ちょうど自分たち夫婦がそうであるように——。この二人も、十年ばかり暮らして子供が三人できたという以外は、たいして重なりあわない夫婦なのではなかろうか。カパーシー自身の結婚生活から推しはかっても、その気配は感じられる。とがった物言い、無関心、だんまりの時間。

奥さんが夫にも子供にも見せないような興味を、いきなり向けてきたらしいということに、カパーシーは軽い酔い心地めいたものを誘われた。あのロマンチックという口ぶりを思い返すと、その酔いが強まった。

車を走らせながら、彼は自分が映るバックミラーを気にかけるようになった。けさ、茶色でなくてグレーの服を選んでおいてよかったと思った。茶色のほうは膝《ひざ》が抜けてきている。ミラーの中で奥さんに目を走らせるようにもなった。顔だけではなく、胸の谷間あたりに鎮座するイチゴのアップリケにも、喉元のつやつやした茶系の肌にも。

もう一人、また一人、とカパーシーは患者の話をしたくなった。背骨に雨粒のあたるような感じがすると言った若い女、あざになった皮膚から何本も毛が生えてきたという男——。奥さんは、楕円形《だえんけい》の剣山のような小さいプラスチックブラシを髪にあてながら、もっと詳しく知りたがり、ほかの例を聞きたがった。

子供たちは樹上のサルに気を取られ、ものも言わずに目をこらしていた。ダス氏はというとガイドブックと首っ引きになっていたから、なんだかカパーシーと奥さんだけが二人でしゃべっているようなものだった。それから三十分はそんなふうだった。昼食どき、街道筋でフリッターとオムレツサンドイッチを食べさせる店へ立ち寄ったのだが、いつものツアーならカパーシーが熱い茶で一服できる楽しみな時間であるのに、きょうばかりは中断が恨めしかった。

　ダス一家が、白とオレンジの房飾りをつけた赤紫のパラソルの下に席をとり、昔の軍人のような帽子をかぶって軍隊調に歩いているウェーターに注文を出したとき、カパーシーは一人で隣のテーブルに向かった。

「あら、カパーシーさん、こっちに坐れるのに」と、奥さんが呼びかけた。ご一緒してもらわなくちゃ、と言って娘を膝に引っぱり上げる。そんなわけで全員がそろって、瓶入りのマンゴージュース、サンドイッチ、タマネギとポテトに全粒粉の衣をつけた揚げ物を、腹に入れることになった。食べているところを、またダス氏が写真に撮った。

「あとどのくらいで着きますか?」と、フィルムの入れ替えをしながら言う。

「三十分ばかりでしょう」

　すでに子供たちはテーブルから立ち上がり、そこいらの木の枝にいるサルを見ていたので、奥さんとカパーシーのあいだに隙間《すきま》ができていた。ダス氏は顔の前へカメラをかまえて、ぎゅっと片目をつむり、舌先を口元から見せていた。「何かへんだな。ミーナ、もうちょっとカパーシーさんのほうに寄ってくれ」

　近づいた奥さんの肌に香りがついていた。ウィスキーとバラ香水の混ざったような。

こっちからは汗の臭《にお》いがしないだろうか、とカパーシーは急に不安になった。合繊のシャツの下でかなり汗ばんでいるのがわかる。マンゴージュースを一気に飲み干すと、銀髪の左右をなでつけた。うっかりジュースを顎《あご》にたらしてしまったが、奥さんに見られただろうか。

だが奥さんは、「住所、聞かせてくれます?」と、麦わらバッグの中を手さぐりしていた。

「私の住所、ですか」

「だって、あとで送れるでしょう。焼き増ししてから」奥さんは、さっと引きちぎった紙切れをカパーシーに持たせた。映画雑誌のページから小さく破いたものだから、たいして余白はなかった。細長い紙にずらずら文字が書いてあって、ユーカリの木の下で抱き合うヒーローとヒロインが小さく写真に出ている。

カパーシーがていねいな字で住所を書いていると、その紙が丸まってきた。きっと奥さんから手紙が来るのだろう。医院での通訳という毎日のことを聞きたがるだろう。おおいに返事を書いて、傑作なエピソードを披露するとしよう。ニュージャージーで読む奥さんが吹き出して笑うような話がいい。そうこうするうちに奥さんは結婚生活の不満を打ち明けたりするかもしれない。それなら、こっちからもそうだ。かくして親近感が増し、友情の花が咲く。

ともかく手元には二人ならんだ写真が残る。赤紫のパラソルの下、フライドオニオンを食べている。しまい場所は——ロシア語文法の本にはさんでおけば安心だ。とりとめのないことが心の中を駆け抜けて、カパーシーはやんわりと快い衝撃を覚えた。その昔、何カ月も辞書を引きひき訳読したあとで、ついにフランスの小説やイタリアの十四行詩をつっかえずに読めるようになったときも、似たような心地よさがあった。そんな瞬間には、世の中はうまくできている、がんばったらいいことがある、まずいことがあっても結局どうにかなるのが人生だ、と思えたものだ。あとでダス夫人からの便りがあるという確証を得たことで、ふたたびカパーシーにそういう信念がふくらんだ。

住所を書いて紙切れを返したら、ふと心配になった。名前のつづりを間違えたとか、何かのはずみで郵便番号の数字を逆順に書いたとか、そんなことはなかろうか。宛先《あてさき》不明になるという可能性がおそろしかった。写真が届かなくなる。オリッサ州のどこかをさまよって、近くへは来るが、ついに手に入ることはなくなる。念のため、もう一度返してもらって書いた住所を確かめたかったが、すでに奥さんはごちゃごちゃしたバッグの中身と一緒にしてしまっていた。

コナーラクに着いたのは二時半だった。砂岩でできあがった寺院はピラミッド形の壮大な建造物であり、その全体像は大きな馬車のように見立てられる。生命の主神たる太陽を祀《まつ》ってあるのだが、その太陽が日々の運行につれて空の三方から伽藍《がらん》を照らす。北側と南側の基壇には計二十四個の巨大な車輪が刻まれている。それが七頭の馬に引かれ、あたかも天空を駆ける馬車の姿となるのだった。

近づいていく車の中で、カパーシーは解説の役をつとめた。この寺院は紀元一二三四年から五五年にかけて、ガンガ朝のナラシンハデーヴァ一世が、イスラムの軍勢を撃破した記念として、千二百人の石工に造営させたものという。

「建物の面積が七十ヘクタールだってさ」と、ダス氏が旅行案内を見て言った。

「砂漠みたい」ロニーの目は寺院の四方に広がる砂地へ行っている。

「ここから北へ一・五キロのところをチャンドラバーガという川が流れていたんですが、いまでは乾上《ひあ》がっています」と言って、カパーシーはエンジンを切った。

車を降りて、寺院のほうへ歩き出した。まず足を止めたのは階段脇《わき》の二頭の獅子《しし》像で、ここで写真を撮ろうというのだった。次いでカパーシーは馬車の車輪の間近へ案内した。一つの直径が二・七メートルで、人の背丈をはるかに超える。

「車輪は生命の輪の象徴とされ――」と、ダス氏が読みあげた。「創造、保存、成就《じょうじゅ》にいたるサイクルを描いたものである……。クールだね」ここでページをめくった。「それぞれの輪に八本の太い頑丈な輻《や》があって、一日を放射状に八等分している。外輪部には鳥獣の模様が彫られているが、輻についているメダル状の装飾部には、濃艶《のうえん》ともいうべき女人像がある」

びっしりと彫り込まれた裸体像のからみ合うさまが濃艶なのであった。さまざまな愛の姿勢をとり、男の首に女が抱きついて、折り曲げた脚を相手の太股《ふともも》に巻きつけたまま永遠の時をすごしている。そのほかにも日常の場面を描いた彫刻がそろっていた。狩りや商取引、弓矢で仕留められる鹿《しか》、剣を手に進む戦士たち。

だいぶ以前に、寺院は空洞を埋める形でふさがれたので、もう中へ入ることはできなかった。そこで、カパーシーが案内してくるツアー客の例に漏れず、外観をぐるりと見てまわることになった。ダス氏は写真を撮りとり最後尾からついてきた。子供たちは先へ走りだして裸像を指さしている。とりわけナーガミトゥナ像をめずらしがっていた。人間と蛇を半々にしたような男女である。海の深みに住むという蛇神なのですよ、とカパーシーは言った。

客が喜んでいるらしいのでカパーシーも気分がよかった。なにしろ奥さんが感心しているようなのだから。その奥さんは三歩四歩と行くごとに足を止めて、男女の交歓を、象の行進を、乳房もあらわに鼓《つづみ》をたたく奏楽の女人を、静かに見つめていた。

ここへは何度となく来ているカパーシーだったが、あらためて半裸の女人を見ていると、いまだかつて妻を裸にしたことがなかったと思いついた。夜の営みにあっても ブラウスの胸をはだけることはなく、ペチコートの紐《ひも》は腰まわりに結ばれていた。うしろから妻の脚を見たこともない。ところが前を行くダス夫人は、まるでカパーシーのためででもあるように、脚線美を見せてくれている。

もちろん、アメリカやヨーロッパのご婦人方を案内したこともあるのだから、いくらでも目の保養はさせてもらった。しかし、この奥さんは違う。ほかの女たちが寺院にだけ興味を向けて、ガイドブックから目を離さず、カメラを顔にくっつけているだけなのに、この人はカパーシーのことも知りたがった。

またさっきのような二人だけの話をしたいものだとカパーシーは思ったが、うっかりならんで歩くわけにはいかなかった。あのサングラスの顔は考えごとでもしているようで、写真のポーズをとってくれという夫にも耳を貸さず、まったく他人のように子供たちのそばを通りすぎた。

その邪魔をしてはいけないというつもりで、カパーシーは先に立って歩き、いつものように太陽神スーリヤのブロンズ像を拝した。等身大の三体が、日の出、正午、日没の太陽を迎えるべく、壁面のくぼみから浮き出すように見える。いずれも頭部を麗々しく飾って、切れ長の目を重たげに閉じて、大きく肌を見せた胸には鎖や護符のようなものが彫られていた。参拝客が供えたのだろう、ハイビスカスの花びらが、黒ずんだ緑色の足元に散っている。三番目、すなわち本殿の北面にある像を、カパーシーは好んでいた。このスーリヤは一日たっぷり働いたあとの疲れた顔をして、馬上であぐらをかいたような格好だ。その馬までがとろんと眠そうな目なのである。スーリヤのまわりには小ぶりな彫像として、二人ずつ組になった女が、腰を横に突き出すポーズをとっていた。

「誰なの？」という声に、カパーシーはびっくりした。すぐそばに奥さんが立っていたのだ。

「アスタチャラ・スーリヤ。沈む太陽です」

「じゃあ、あと二時間くらいしたら、この位置に日が沈むってわけね」奥さんは角張ったヒールの靴を片方するりと脱いで、浮かした足先を軸足のふくらはぎにこすりつけた。

「そういうことです」

奥さんはちょっとだけサングラスを持ち上げ、すぐにまたもどした。「すっごーい」どういう意味かカパーシーには測りかねるところもあったが、一応は誉《ほ》め言葉なのだろうと感じられた。太陽神の美と力を奥さんがわかってくれたのならいいと思った。あとで手紙の話題にできよう。こっちからはインドのことをあれこれ書く。奥さんはアメリカのことを書く。そうなったら、いわば夢がかなったともいえるわけだ。国と国との橋渡しという通訳になる。

カパーシーは奥さんの麦わらバッグを見た。あのなかに、ほかのものと一緒に、住所の紙がおさまっているのがうれしい。だが、この人とは何千マイルもの距離に隔てられるのだと思えば、すとんと急降下するような心地だった。その落ち込んだ反動で、むしゃぶりついて抱きしめたい、ほんの一瞬でいいから、ぴたりと停止した抱擁を、わが神像に見てもらいたいという気持ちに駆られた。しかし、奥さんはもう歩き出していた。

「アメリカへは、いつごろお帰りです？」つとめて平静に尋ねてみた。

「あと十日で」

計算をする——。落ちつくのに一週間、現像焼き増しに一週間、手紙を書くのにも何日かはかかって、それからインドまで航空便で二週間。いくらかの遅れも見ておけば、奥さんから便りがあるまで、ざっと一カ月半というところか。

四時半を過ぎたころ、カパーシーがホテル・サンディ・ヴィラへ送り届けようとする一家は、もう静かな客になっていた。子供たちは土産物屋で買った花崗岩《かこうがん》製のミニチュア車輪を手の中でまわして遊んでいたし、ダス氏は依然としてガイドブックばかり見ていた。奥さんは娘の髪をブラシで梳《す》きほぐしてから、二本のお下げに分けていた。

この客を降ろすときが来ることを、カパーシーは恐れはじめていた。奥さんから便りがあるまでの、その一月半を待ちきれない。バックミラーで盗み見る奥さんは、ティーナの髪にゴムバンドを巻いている。もう少しだけツアーを長引かす手だてはないものだろうか——。

いつもならプリーまで最短の道を飛ばしてもどる。早いところ家へ帰って、白檀《びゃくだん》の香る石鹼《せっけん》で手足を洗い、のんびり夕刊を読みながら、妻がだまって差し出す一杯の茶を喫する。そういう沈黙は、とうに仕方のないものと見きわめていたはずなのに、いまは考えると気が滅入《めい》った。

ウダヤギリとカンダギリの丘へ足を延ばしたらどうでしょう、と言ってしまったのは、このときである。昔の僧院だった石窟《せっくつ》群が、狭い道をはさんで向きあっている。ちょっとした寄り道になるけれども、一見の価値はあるので……。

「ああ、そういえば、この本にも書いてあるな」と、ダス氏が言った。「ジャイナ教の王が建てたとか何とか」

「行かれますか？」カパーシーは分岐点で一時停止した。「行くなら左ですが」

ダス氏が奥さんを見やって、二人とも肩をすくめた。

「ひだり、ひだり」子供たちが囃《はや》した。

カパーシーは熱いくらいの安堵《あんど》感《かん》を覚えてハンドルを切った。石窟の丘に着いたら奥さんにどういう態度をとりたいのか、自分でもわかっていない。笑顔がすてきです、とでも言うのか。イチゴのTシャツを誉めてみるのか。いかにも似合うTシャツと思わざるを得ないが。それとも亭主が写真に気を取られている隙に、ちょっと手を握るということもあろうか。

だが案ずるまでもなかった。樹木の迫るけわしい道が分けている二つの丘に来てみれば、奥さんは車から出ようとはしなかった。この道のずっと先までサルが群れている。木の枝ばかりか、地上にも石に腰かけたサルがいるのだった。足を高々と投げ出して、両腕を膝《ひざ》に乗せている。

「もう脚が疲れちゃって」と、奥さんは座席に沈み込んだ。「あたし、ここで待ってる」

「わざわざ変な靴をはいてくるからじゃないか」ダス氏が言った。「写真に写らなくなっちゃう」

「行ったことにしといてよ」

「だって今年のクリスマスカードに使えないかと思ってるんだぜ。太陽神の寺院でも五人そろっては撮らなかった。いまからカパーシーさんにシャッターを頼めばいいだろ」

「やだってば。だいたいサルが気持ち悪いんだもの」

「べつに悪さをするわけじゃなし」と、ダス氏はカパーシーのほうへ、「そうなんでしょ？」

「ええ、あぶないというよりは腹をすかせた連中なので、エサをちらつかせたりしないでください。向こうからは手出しをしないと思います」

ダス氏は子供を連れて険しい道を歩きだした。左右に男の子がいて、末っ子の娘は肩車されている。カパーシーが見ていると、親子は日本人の男女とすれ違っていた。ほかに観光客はいないようで、この二人も写真の撮り納めをすると、近くに停めてあった車で走り去った。

その車が見えなくなると、サルの一部がほっほっと声をあげ、黒くて平たい手のひらと足の裏をついて、ダス父子がたどる道を歩きだした。あるところでサルは親子を丸く囲んだ。ティーナが大はしゃぎした。ロニーは父親のまわりをぐるぐる駆けた。ボビーはしゃがんで、落ちていた太めの棒きれを拾った。これを突き出したものだから、ある一匹がボビーに接近して棒をふんだくり、地面をちょっとたたいた。

「私もあっちへ行くとしましょう」カパーシーは運転席のドアを開けようとした。

「石窟には解説がつきものでしてね」

「あ、ちょっと出ないで」と奥さんが言った。車の後部から降りて、助手席にすべり込んでくる。「どうせラージはガイドブックを持ってるんだもの」これでフロントガラス越しに奥さんとカパーシーが前を見ることになった。ボビーとサルが棒の取りっこをしている。

「勇敢なお子さんだ」カパーシーが評した。

「不思議じゃないのよ」

「じゃない？」

「彼のじゃないから」

「は、何ですって？」

「ラージの子じゃないってこと」

カパーシーは針の先でもあてられたような感触を覚えて、シャツのポケットに手を入れていた。小さな缶で蓮《はす》の精油を持ち歩いているのだ。これを額の三カ所につけた。奥さんに見られているのはわかったが、顔を合わせることはせず、まっすぐ前を向いたままにした。ダス氏と子供たちの姿が急坂の道をあがって小さくなり、何度も立ち止まって写真を撮っている。まわりのサルが増えていた。

「びっくりした？」という奥さんの口ぶりに、返す言葉には気をつけたほうがいいと思った。

「あまり予想しない話題でしたね」ゆったり応じて、小さい缶をポケットにもどした。

「それはそうよ。わからないでしょう。わかるわけがない。八年間、隠し通したんだもの」奥さんは顎《あご》の角度を変えながらカパーシーを見た。観察の角度を変えたいようでもある。「それをいましゃべっちゃった」

カパーシーはうなずいた。いきなり喉《のど》が乾ききったような気がする。額が熱くなり、塗った油のせいで感覚が鈍ったようでもある。ちょっと水をもらえませんかと言おうとして、思いとどまった。

「出会ったときは、すごく若かったの」奥さんは麦わらバッグの中をさぐって、ライススナックの包みを出した。「食べます？」

「いえ、けっこう」

奥さんは手づかみで頬張った。いくぶん座席に沈んで、カパーシーから目を離し、助手席側の窓を見た。「学生結婚だもの。プロポーズされたのは、まだ高校の頃。もちろん大学は同じところへ行ったわ。一日でも一分でも離れるなんて考えられなかった。親同士が親友で同じ町に住んでいたから、物心ついてからというもの、毎週どっちかの家に行ってた。子供は二階へ上がりなさいなんて言われて、いずれは一緒にしてやろうっていう冗談も聞こえた。どう、そんなの？　二階で何しようと放ったらかしで——まあ、ああやって仕組んだってことかもしれないけど。そういう金曜土曜の晩にどうなったか、親たちが下でお茶を飲んでいるっていうのに……なんていう話なら、いくらでもできそうだわ」

大学時代もラージとべったりくっついていたから、と奥さんの話はつづいた。親しい友だちが増えなかったのだという。いやなことがあった日に、彼のことで打ち明け話ができるとか、ちょっとした考えごと悩みごとを聞いてもらえる相手がいなかった。若いま両親は地球の反対側に住んでいるが、どっちみち近しい存在ではなかった。

くして一家の主婦になると、慌《あわ》てふためくことばかりだった。まもなく子育てをすることになって、哺乳瓶《ほにゅうびん》をあたため、手首にあてて温度を計った。ラージには仕事があった。セーターにコーデュロイのズボンという服装で、岩石や恐竜について生徒に教えていた。追いつめられた顔をすることはなかった。初産《ういざん》のあとの彼女のように体型がふくらむこともなかった。

いつも疲れが先に立って、わずかな大学時代の友人がマンハッタンでのランチやショッピングに誘ってくれても、いい返事はできなかった。そのうちに電話もかかってこなくなり、赤ん坊と家にいるだけで一日が終わった。おもちゃが片づかないから、歩けばつまずいたし、うっかり坐《すわ》って顔をしかめもした。年中いらいらして疲れていた。

ロニーが生まれてからの二人は出かける機会が限られ、また客を迎えるということはさらになかった。ラージにはそれでもよかった。教師の仕事から家に帰って、テレビを見て、ロニーを膝に乗せて遊ばせるのが楽しみなようだった。友人を一週間ばかり泊めてやることにしたと言われたとき、彼女は怒りに燃えた。パンジャブの男で、一度会っているらしいのだが覚えはなかった。ニューブランズウィック近辺で就職の面接があるのだという。

ボビーを宿したのは午後のことだった。おしゃぶり兼用のおもちゃが出しっぱなしのソファの上で。この友人がロンドンの製薬会社から採用通知をもらったあとのこと。ロニーはベビーサークルから出たくて泣いていた。コーヒーを沸かそうとした背中に男が手を添えたとき、彼女は抵抗しなかった。引き寄せられ、ぱりっとしたネービーブルーのスーツに密着した。男は手際《てぎわ》のよい行為をした。黙ったまま、彼女が知りもしなかった熟練の技を用いた。ラージなら事後に見せたがる思わせぶりな表情や笑いがなかった。

翌日、ラージは男をJFK空港まで乗せていった。いまでは男もパンジャブ人の嫁をもらって、ロンドンに住みついている。毎年、双方からクリスマスカードを出す。どちらの夫婦も子供の写真を同封する。男は自分がボビーの父親だとは知らない。知ることはないだろう。

「失礼ながら、奥さん、なぜ私にいまの話をなさいました？」一段落したらしい頃合いに、また顔を合わせてきた彼女に、カパーシーは言った。

「その奥さんていうのやめてくれない？　まだ二十八よ。お子さんと同い年くらいじゃないかしら」

「いえ、そこまでは」父親のような年だと思われているらしいのが、カパーシーの心を揺すぶった。さっきまでの、運転席からバックミラーへの映り具合を気にしたような気分が、やや蒸発した。

「才能を見込んで話したのよ」彼女はライススナックの包みの口も折らずにバッグにしまった。

「わかりませんな」

「そうかしら。八年間、誰にも言えなかったことなのよ。友だちにも、もちろんラージにも。あの人、ちっとも知らないわ。まだ惚《ほ》れられてるつもりだもの。――どう思う？」

「どう？」

「いま言ったことよ。そういう秘密。いやでたまらないこと。子供を見たって、ラージを見たって、いやでたまらないの。何かこう、放り出したくてたまらない気分になるわ。いつだったか手当たり次第に窓から放り出したくなったこともある。テレビも、子供も、そこらにあるものみんな。それって不健康だと思わない？」

カパーシーは黙っていた。

「ねえ、どうにか思いません？　そういう仕事なんでしょ」

「仕事はツアーの案内ですが」

「そうじゃなくて、もう一つの。通訳のほうよ」

「といっても、いま言葉の壁はないんだから、通訳の出番もないでしょう」

「ちがうんだなあ。そんなつもりなら言ってないわよ。あたしが言葉にしたことの意味ってのがあるじゃない」

「どんな？」

「いやでたまらないのがたまらなくなってるの。だって八年よ。八年苦しんだの。そこへ、それなりのことを言ってくれたら、ちょっとは救われるかなと思ったわけ。だから、その、療法っていうみたいな」

カパーシーは女を見た。赤いプレードのスカートに、イチゴのTシャツ。三十にもならないのに、夫も子供も愛せないと言い、人生に愛想がつきたようなことを言う。告白を聞かされて憂鬱《ゆううつ》になった。あのダス氏を思えば、なおさらそうなる。坂の上で娘を肩にのせ、アメリカの生徒に見せようと古代の石窟を写真に撮って、連れている息子の片方が自分の子でないとは露知らない。

奥さんに埒《らち》もない秘密とやらを知らされ、言葉の上で手助けをせよと言われても、ひとを馬鹿《ばか》にするなとしか思えなかった。医院へ来る患者たちを、この女と一緒にはできない。うつろな目をして、困り果てて、眠るのも息をするのも小便をするのも楽ではなく、どこがどう痛いとは言えないのだから何より始末が悪いという人たち。

ところが、それでもカパーシーは、こういう人助けも職務であるように思った。ご主人に打ち明けなさいと言ってやればいいのではないか。正直が一番ということだ。それでこそ、奥さんの言い草ではないが、ちょっとは救われるかもしれない。真ん中に立って、夫婦の話しあいを取り持ってやってもいいのだ。そこで、肝心要《かんじんかなめ》のところを押さえておくつもりで、きわめて当然の質問をした。「で、奥さん、いま抱えておられるのは、ご自分の痛みか、それともご主人への負い目か……」

すると奥さんは、じろりと見るような目をカパーシーに向けた。フロスティピンクの唇にべっとりとマスタードオイルがついている。その口をあけて、ものを言いかけたらしいのだが、カパーシーをにらんだ目に何かしら思いあたることがかすめたと見えて、彼女の動きが止まった。

カパーシーは心がひしゃげたようになった。この瞬間、自分はわざわざ馬鹿にされるほどの存在ですらないと知らされたのだ。奥さんはドアをあけ、坂道を登りだした。ごつい木のヒールをつけた靴だから、やや足取りがおぼつかない。さっきからのライススナックを、バッグの中からつかんで歩き食いしている。つかみそこねた食べこぼしが細いジグザグの列になり、これを目当てにサルが一匹飛び降りて、白い米をむさぼった。もっとおこぼれがあるだろうというので、サルは奥さんについて歩きだし、ほかのサルも集まったものだから、まもなく数匹がビロードのような尻尾《しっぽ》をなびかせてあとを追うことになった。

カパーシーも車を降りた。大声で、どうにか危険を知らせたいと思ったのだが、うっかり背後に気づかせたら、かえって不安をあおるかもしれなかった。よろけて転ぶかもしれない。バッグなり髪の毛なりをサルに引っ張られるのではないか。

カパーシーは小走りに坂をあがった。落ちていた木の枝を拾った。サルを追い払う役に立つだろう。

そうとは知らない奥さんは、まだライススナックをこぼしながら歩いていた。坂の上では、ぼってりした石の列柱を前面に配した小型の石窟《せっくつ》群に向けて、地面に膝《ひざ》をついたダス氏がレンズの焦点を合わせていた。子供たちはアーケードをなす列柱に見え隠れしている。

「待って」と、奥さんが声をかけた。「いま行くわ」

ティーナがぴょんぴょん跳ねた。「ママが来たよ」

「ようし」ダス氏は顔を上げなかったが、「ちょうどいい。カパーシーさんにシャッターを頼もう。五人で撮れるぞ」

カパーシーはほとんど駆け足になった。拾った枝を振りまわし、サルを適当に追い散らす。

「ボビーは？」足を止めた奥さんが言った。

ダス氏がカメラから目を上げた。「さあてね。ロニー、知らないか」

ロニーは肩をすくめた。「ここにいるかと思った」

「どこなのよ」奥さんの声が鋭くなった。「どうなってんの、あんたたち」

そこで口々にボビーの名を呼び、いくらか道を行ったり来たりしたのだが、声をあげていたぶんだけ、子供の悲鳴を聞きつけるのが遅れた。見つけたときは、やや下った位置の木の根方で、サルに取り囲まれていた。十数匹はいるだろう。黒く長い爪《つめ》でTシャツを引っぱっている。ボビーの足元には奥さんのこぼした米が散らばって、サルの手でもみくちゃになっていた。

子供は声も出ない。凍りついたように動けず、ひきつった顔に涙が伝い落ちている。むき出しの脚は、砂まみれでミミズ腫《ば》れになっていた。さっきサルに取られた棒きれで何度もひっぱたかれたのだ。

「パパ、あのサル、ボビーをいじめてる」と、ティーナが言った。

ダス氏は手のひらを半ズボンになすりつけた。あたふたしていたものだから、うっかりシャッターを押してしまい、フィルムを巻く音がうなってサルを興奮させた。棒を持ったサルが、またひとしきりボビーをたたいた。

「どうしたらいいのかな。襲いかかってきたらどうする」

「カパーシーさん」すぐそばまで来ていたカパーシーを見て、奥さんが叫びをあげた。「どうにかして。ねえ、どうにかしてよ」

カパーシーは木の枝を武器にして、サルを追い払った。なかなか逃げないやつにはシッシッと声で脅しつけ、足を踏み鳴らしもした。サルどもはそろそろと足を運んで後退した。一応は引き下がるが、やりこめられたのではないという気配だ。

カパーシーはボビーを抱きかかえ、親きょうだいが突っ立っているところへ連れていった。腕の中の子にひとつ秘密を耳打ちしたい誘惑に駆られたが、ボビーは気が動転して震えていたし、たたかれた足の皮膚が破れて、いくらかの出血もあった。

子供が引き渡されると、ダス氏は土のついたTシャツをはたいて、サンバイザーのかぶり具合を直した。奥さんはバッグの中から絆創膏《ばんそうこう》を出して、膝の切り傷に貼《は》ってやった。ロニーもガムを一枚差し出した。

「大丈夫だ。な、ボビー、ちょっとこわかっただけだよな?」ダス氏は子供の頭に手をあてた。

「もう、こんなとこ出ましょうよ」奥さんが言った。胸のイチゴ模様に腕組みをして、

「気持ち悪いわね、ここ」

「まったく、ホテルへ引きあげるのがいいね」

「かわいそうに、ボビー。あ、ちょっとおいで。髪の毛へんだわ。ママが直してあげる」奥さんはまたバッグに手を入れて、今度はヘアブラシを取り出すと、半透明なバイザーのまわりを、ぐるっとなでつけてやった。

このブラシを出したはずみに、さっきカパーシーが住所を書いた紙切れが風に飛んでいった。そんなことを気に留めたのはカパーシーだけである。見る間に舞い上がり、風に乗って高く、高く、木の枝にまぎれていった。そこでは樹上にもどったサルどもが、下の光景におごそかな観察の眼を向けていた。カパーシーも見ていた。これだけがダス一家の映像として記憶に残ることもわかっていた。

本物の門番　A Real Durwan

階段掃除のブーリー・マーは二日つづけて寝ていなかった。そこで三日目は朝のうちに寝床の敷物をはたいてダニを追い出した。上掛けのほうは、まず一回、郵便受けの下ではたいた。そこが寝場所である。もう一回、今度は路地の出口まで持っていってはたいたので、野菜屑《くず》をつついていたカラスが、てんでに飛びすさった。

四階建ての屋上まで上がろうとして、片方の手を膝《ひざ》にあてがっていた。雨季の到来とともに痛くなる。ということは、バケツと上掛けと箒《ほうき》がわりの葦《あし》の束を、そっくり反対の腕に抱え込まないといけない。このところ階段が急になっていくような気がする。階段というより梯子《はしご》みたいな感じだ。当年とって六十四。髪の毛にクルミ大の結び目をつくり、体つきは前から見ても横から見ても大差ないほど痩《や》せていた。

いや、三次元の厚みがあるものといえば、その声でこそあったろう。いまにも折れそうに悲しげで、饐《す》えて固まったように酸《す》っぱく、ココナツの果肉を掻《か》きとれそうにとがっている。その声で苦労を数え上げるのだ。日に二回は、階段を掃きながら、インド・パキスタン分離のあとカルカッタまで流れてきて以来の恨みつらみを述べたてた。あのときの騒動で別れわかれになった、とブーリー・マーは言うのだった。それまでは夫がいて、四人の娘がいて、レンガづくりの二階家と紫檀《したん》の箪笥《アルマリー》があって、お宝の箱がいくらもあった。いまだって合い鍵《かぎ》だけは、虎《とら》の子の財産といっしょにサリーの端っこにくくりつけてある……。

だが苦労話だけではなくて、安楽な暮らしをしたという時代もよく演目になっていた。だから二階へあがった頃には、三女が結婚した晩のメニューなるものを、アパートじゅうが聞かされることになった。

「だって校長先生に嫁いだんだからね。バラの香りをつけた水でお米を炊《た》いて、市長さんにも来てもらって、みんな錫《すず》合金のフィンガーボウルを使ったもんだ」

ここで一休みして息を整え、小脇《こわき》にかかえた物品をそろえ直した。ついでにゴキブリが一匹手すりに見え隠れしたのを追い払った。それから話のつづきだ。「マスタード風味のエビをバナナの葉につつんで蒸したんだ。おいしいものに出し惜しみはしなかった。それだって贅沢《ぜいたく》ってほどじゃない。うちでは週に二度はヤギの肉を食べてた。庭に池があって、魚なんかいくらでもいたんだし」

このへんまで来ると屋上から光がこぼれてきた。まだ八時とはいえ、こうして踏みしめる階段のセメントまであたたかいような日差しだった。いかにも古い建物である。いまだに行水はドラム缶の汲《く》み置きで、窓にガラスはなく、便所の足場はレンガを積んだだけだった。

「うちの庭へナツメヤシやグァバの実をとりにくる人がいたっけ。ハイビスカスの花を摘んでく人もいた。ああ、いい人生だったねえ。いまじゃお釜《かま》からじかに食べてるけどさ」

独演会もこのあたりまで進むと、ブーリー・マーは耳まで熱くなってきた。食いちぎられるような痛みが、腫《は》れた膝に走った。「もう言ったかねえ。国境を越えたときの持ち物は、手首に二本のブレスレットだけだったけど、その昔は、歩いたところといえば大理石の床ばかりなんていう日もあったんだ。嘘《うそ》だと思ってんのかどうか知らないけど、あんな結構な暮らしは、どうせあんたらにわかんないだろ」

こんなご託をならべるブーリー・マーがいくらかでも本当のことを言っているのかどうか、誰にもわからないのだった。なにしろ住んでいたというお屋敷の大きさが、日ごとに倍増するように聞こえた。簞笥《アルマリー》や宝箱の中身もまた然《しか》り。だが国境を越えて避難したというところに嘘はあるまい。しゃべっているベンガル語の響きからしてそのようだ。しかしまたアパートの住人としては、ブーリー・マーの言い分に割り切れないものを感じるのでもあった。そんなに金持ちの奥様だったなら、どうして何千何万の避難民と一緒くたに、トラックの荷台で麻袋にくるまって東ベンガルから逃げてきたというのだろう。そうかと思うと、このカルカッタへは牛車に乗ってやって来たと言ってのける日もあるのだから。

「どっちなのさ。トラック？　牛車？」路地へ行って泥棒巡査の遊びをしようとする子供たちが、ついでに聞きたがることもあった。するとブーリー・マーはサリーの端っこを揺すり、合い鍵をちゃらちゃら鳴らしながら言うのだった。

「そんな細かいこといいじゃないか。肝心なところをお聞きよ。嘘だと思ってんのかどうか知らないけど、あたしの人生、つらいことばっかりだ。あんたらにわかるもんかい」

というように、辻褄《つじつま》の合わないことを平気で言って、おおいに尾鰭《おひれ》をつけていたのだが、たとえ大口をたたこうと愚痴をこぼそうと、けっこう真に迫っているのだから、あっさり聞き捨てにもしづらかった。

もとは地主でいまは階段の掃除人ということがあるものか——。三階の住人ダラル氏は、いつもの行き帰りごとにブーリー・マーとすれ違っては思うのだった。勤め先は配管業者の多いカレッジ・ストリート界隈《かいわい》の卸問屋で、ゴム管、パイプ、バルブ用品の領収書を仕分けしている。

哀《ベチャ》れ《レー》だね、あの女はあの女なりに、なくした身内を悼《いた》むつもりで、話をこしらえてるのさ、というのがアパートの女房連がたどりつく大方の見解だった。

さらには「たしかに口から出まかせの女だが、変わりやすいご時世の犠牲になったとは言えるな」というのが、老チャッタージーが好んで口にする説だった。インド独立以来、アパートのバルコニーから動こうとせず、新聞を開くということもしないのに、そのくせ（というか、それだから、かもしれないが）この老人の見方とあれば重きが置かれていた。

そうこうするうちに、東にいた頃のブーリー・マーは裕福な大地主《ザミンダール》の家政婦でもしていたのだという考えが定説になった。だとすれば、あれだけ念の入った法螺《ほら》話で過去を語れるのもうなずける。とにかく、喉《のど》にからんだような声でまことしやかな物語をされても、どこに被害が出るわけではない。一種の芸人だと思えばおおいに楽しめるではないかというところに議論は落ち着いた。

郵便受けの下で雨露をしのがせてもらえるのと引き替えに、ブーリー・マーは折れ曲がる階段を塵《ちり》一つなく浄《きよ》めていた。また、折りたたみ式ゲートのすぐ内側に寝泊まりしている形だから、外の世界に向けて門番を置いたようなものであることをアパートの住人たちは何よりも喜んだ。

といって物取りにねらわれるほどのアパートではない。二階のミスラー未亡人だけが電話を持っている程度の水準だ。それでもブーリー・マーは重宝だった。路地の動静に目を光らすパトロール係になって、櫛《くし》やらショールやらを戸別訪問で売りまわる行商人を締め出し、一声かければ人力車《リクシャー》を呼ぶ役にも立ち、ばさばさっと箒でひっぱたいて不逞《ふてい》の輩《やから》を追い払ったから、そこいらに痰《たん》を吐かれたり立ち小便をされたりの迷惑もなくなった。

つまり、一年また一年とたつうちに、ブーリー・マーは本物の門番《ダルワン》というべき存在になっていた。普通なら女の門番などありそうにはないけれども、ブーリー・マーは立派に役目を果たした。いわばロウアー・サーキュラー・ロードやジョードプル・パークのような一等地の門番にも負けない、忠義な見張り役ができあがったのである。

屋上へ出たブーリー・マーは上掛けを物干しに引っかけた。そのためのワイヤーが手すりの対角線に張りわたしてある。テレビのアンテナ、広告の看板が林立し、遠くにはハウラー橋が弧を描いている風景を、物干しワイヤーが横切っていた。

まず四方の空模様をながめると、ブーリー・マーは水桶《みずおけ》の下のほうの栓をあけて、顔を洗い、足をすすいで、二本指で歯をこすった。それから箒を持って、あっちの側こっちの側と上掛けをたたいた。何度となく手を止め、不眠をもたらす元凶がセメント上に落ちなかったかと目をこらした。そんなことに夢中で、すぐには気づかなかったが、三階のダラル夫人が塩漬けのレモン皮を天日干しにしようと出てきていた。

「何だか知らないけど何かいるらしくって、夜もおちおち寝られなくてさ。ねえ、奥さん、どっかになんか見えない？」

こんなブーリー・マーに憎めないものを感じていて、ダラルの奥さんはおろしショウガを分けてやったりすることがあった。煮込みの香りづけになる。

「さあ、わからないけど」と、ちょっと間をおいて奥さんは言った。おぼろに霞《かす》んだようなまぶたをして、やけに細い足の指にリングをつけている。

「じゃあ、きっと羽が生えてるんだ」と結論をくだしたブーリー・マーは、箒を下において、重なりあって流れる雲を見上げた。「飛んでっちゃうものはつぶせないよね。背中、見てくれない？　喰われて赤くなってんじゃないかね」

奥さんはブーリー・マーがまとっているサリーを持ち上げた。安物の白地で、裾《すそ》のほうは泥沼のような色になっていた。いまではどこの店でも売っていないであろうブラウスの、上から下から見たのだが、「べつに何とも。思いすごしじゃないの」

「だってダニに喰われて往生してるんだから」

「ひょっとして、汗疹《あせも》じゃないかしら」

そう言われてブーリー・マーはサリーの端っこを揺すった。合い鍵の音がした。

「だったらわかりそうなもんだよ。これでもう三日は寝てないんだもの。四日かな。勘定してられないけどさ。その昔はきれいなベッドで寝たもんだ。モスリンの敷布でね。嘘だと思ってんのかどうか知らないけど、蚊帳《かや》だって絹みたいにふんわりしてた。あんな結構な暮らしはわかんないだろうね」

「わかんないわよ」ダラル夫人も鸚鵡《おうむ》返しに言った。霞んだようなまぶたを閉じかげんにして吐息をつく。「わかるわけないって。うちなんか二間だけの破れ屋で、汚水の配管部品売ってる男の女房やってるんだもの」と顔をそらして、上掛けに目をやった。その縫い目に指を這《は》わせていたが、

「ねえ、いつから同じ蒲団《ふとん》で寝てるの?」

ブーリー・マーは指を一本唇にあてると、覚えてないと言った。

「だったら、いままで黙ってたってこと? さっぱりした掛け蒲団くらい都合してあげるわよ。どうせなら水をはじくようなのとか?」見損なわないでよという顔だった。

「でも要らないから」と、ブーリー・マーは言った。「もうきれいになった。箒でたたくからいいんだ」

「だめだめ、そうは言わせないわよ。あんた、寝床をどうにかしなくちゃ。上掛けでしょ、枕《まくら》でしょ、冬になったら毛布もね」しゃべりながら奥さんは親指をほかの指の

腹にあてて、必要なものを数えた。

「お祭りの日ともなれば、貧乏人がやって来て、腹を満たしていったもんだ……」ブーリー・マーは屋上の石炭置き場のほうへ行って、バケツに石炭を詰めていた。

「うちの人が帰ったら、話をしてみるわね」奥さんが降り口から声をかけた。「お昼すぎにいらっしゃいよ。ピクルスがあるし、背中のパウダーもある」

「汗疹じゃないってば」

なるほど雨季なら汗疹は多かろうが、ブーリー・マーとしては、寝床を騒がせ、眠りを奪って、抜け毛の増えた地肌でもどこでも唐辛子のようにヒリヒリさせる原因が、そんなありきたりなものだとは思いたくなかった。

あれこれ考えながら階段の掃除をして、いつものように上から下へと掃いていくと雨になった。ぶかぶかのスリッパをはいた子供のように、ばたばたと雨が屋上を走って、ダラル夫人のレモンの皮を雨樋《あまどい》に流した。通行人が傘をさす暇もなく、雨は襟やポケットや靴を滝のように洗った。このアパートでも近在のどの建物でも、がたぴしと雨戸が閉じられ、腰紐《こしひも》で窓の桟にくくりつけられた。

このときブーリー・マーは二階まで降りてきていた。梯子のような急階段を見上げ、まわりから締めつけるような雨音を聞きながら、いまごろは上掛けがヨーグルトみたいになっているだろうと思った。

でも、さっきダラルの奥さんが言ったっけ、と思い返して、仕事の手を休めずに、砂埃《すなぼこり》もタバコの吸い殻も、のど飴《あめ》の包み紙も掃き落として、下の郵便受けまで行った。風が吹き込むので持ち物のバスケットをかきまわして新聞紙を取り出し、折りたたみ式ゲートの菱形《ひしがた》の穴に突っ込んだ。それから石炭を入れてきたバケツの上で昼食の煮炊きにかかり、棕櫚《しゅろ》を編んだうちわで火加減を見た。

午後、いつものようにブーリー・マーは髪の毛を結いなおし、サリーの端っこをはらりと解いて、なけなしの貯《たくわ》えを勘定した。二十分の昼寝から目覚めたところである。そのために新聞紙で仮の寝床をこしらえたのだった。もう雨はあがって、濡《ぬ》れたマンゴーの葉から立ちのぼる酸《す》っぱい香りが、路地に低くたれこめていた。

ときたまブーリー・マーはアパートの面々を訪ねることがあった。あっちの家こっちの家と出入りするのはおもしろかった。住人のほうでも、どうぞいらっしゃいという態度だった。夜の戸締まりのほかは掛け金をしない人たちである。行ってみると、それぞれに仕事があるらしかった。子供を叱《しか》りつけたり、出ていく金の計算をしたり、夕食の米から小石を取りのけたりしている。コップにお茶を入れてくれることもあった。クラッカーの缶を寄こしてもくれた。子供の仲間になって、おはじきゲームをしてやることもあった。うっかり椅子《いす》には坐《すわ》らないほうがいいと思ったから、戸口や廊下にしゃがみ込み、外国の町で往来をながめる人のように、アパートの暮らしぶりを見ていた。

さて、きょうという日も、言われたとおり午後からダラルの奥さんの顔を見に行こうか、とブーリー・マーは思った。新聞紙を敷いての昼寝だったのに、まだ背中がむずがゆい。やっぱり汗疹パウダーをもらおうかという気にもなりかけていた。箒《ほうき》を手にして――これがないと調子が狂うようなので――階段をあがろうとしたところへ、人力車がやって来て折りたたみ式ゲートの前で停まった。

ダラル氏だった。長年、領収書の整理に明け暮れてきたおかげで、目の下に隈《くま》ができているような人物だが、きょうばかりは明るい目つきになっている。舌先を歯のあいだでちょろちょろ動かした。広げた股間《こかん》にはさみつけているのが二つの水盤で、小ぶりだが流しとして据えるような陶製だった。

「ブーリー・マー、ちょっと手を貸してくれないか。こいつを持ち上げるんだ」と言うと、たたんだハンカチを額に喉に押しあてて、車夫にコインを一つやった。それからブーリー・マーと二人で三階まで運んだ。どうにかアパートの室内へ持ち込んでしまうと、ようやく口を開いて、夫人と、ブーリー・マーと、物見高くついてきた何人かに向かって、おもむろに宣言した。

いままでゴム管やパイプやバルブ用品の問屋で領収書の始末をしてきたが、もうそれも終わるときが来た。問屋の主人が、どうしても空気のいい土地へ行きたくて、また大儲《おおもう》けをしたというせいもあって、バードワンに新しい店を出すことになった。ついては、これまでの精勤ぶりに鑑《かんが》み、このダラルを支配人として従来の店をまかせるという。そんなわけで、つい喜びのあまり、あの界隈を抜けて帰ってくる途中、この流しを買ってしまった……。

「そんなこと言ったって、たった二間のアパートに、二つも流しがいるっていうの」

奥さんが猛然と言った。ただでさえレモンの皮が流されてむしゃくしゃしていた。

「聞いたこともないわ。だって、いまだに石油コンロで煮炊きしてるんじゃないの。電話の申し込みだって、うんと言ってくれないし。結婚したときの約束だった冷蔵庫、あれどうなったんでしょうね。流しが二つあったら、そういうのが帳消しになるのかしら」

このあとのすったもんだは下の郵便受けあたりまで筒抜けなほどだった。夕闇《ゆうやみ》が落ちてまた一雨降ったのに、ずっと聞こえていたくらい延々と筒抜けなのだった。ブーリー・マーが本日二度目の掃除を上から下まで行なったときも、さすがに気が散ってしまい、いつものように苦労や安楽を語れないくらいの筒抜けだった。この夜、彼女は新聞紙を敷いて寝た。

夫婦の論戦が何となく尾を引いていた翌早朝、工事の職人たちが裸足《はだし》の一隊をなしてやって来た。一晩じゅう輾転《てんてん》として、また行きつ戻りつして考えたダラル氏は、結局、一つは自宅の居間に、もう一つは階段の上がり口に据えることに決めていた。

「そうすれば皆さんで使えますよ」と一軒ずつ説いてまわった。住人は大喜びした。昔から歯を磨くのにも汲《く》み置き水をマグで使っていたのである。ダラル氏にしても思惑はあった。一階から上がろうとして流しがあったら、訪ねてきた人の印象が違うだろう。いやしくも支配人ともなれば、どういう客が来ないともかぎらない。

据付はかなりの大仕事になった。職人が駆けあがり駆けおりて、昼どきには階段の手すりを背にしゃがみ込んで弁当を使った。ハンマーを振るい、大声をあげ、唾《つば》を吐き、言葉に品がなかった。ターバンの先で汗をぬぐってもいた。つまり、この日のブーリー・マーは階段掃除の出番をなくされたと言ってよい。ぶらぶらと屋上を大回りで歩いたが、新手持ち無沙汰《ぶさた》に屋上へ落ちのびていった。

聞紙に寝たせいで腰骨のへんが痛かった。四方の水平線をながめ、空模様を見てから、きのうまで上掛けだったもののなれの果てをびりびりと引き裂いた。あとで手すりの柱を磨こうと思ったのだ。

夕方ごろには、この日の成果を賞すべく、住人が集まってきていた。ブーリー・マーでさえも清らかな流水で手をすすいでごらんと言われた。すると鼻をくんくん利《き》かせて、「うちの水浴びは、花の香りのついた水だったよ。嘘《うそ》だと思ってんのかどうか知らないけど、そういう贅沢《ぜいたく》はわかんないだろうねえ」

ダラル氏はさまざまな機能の実演におよんだ。蛇口を一つずつ全開にして、停止させ、今度は同時にひねって水圧の差がどうなるのか見せた。真ん中の小さいレバーを引き上げると、流しに水を貯《た》めることもできる。

「究極のエレガンス」と、ダラル氏は締めくくった。

「これまたご時世というものだ」バルコニーから動かない老チャッタージーも言ったらしい。

ところが女房連のあいだでは、たちまちに不穏な空気が生じていた。朝の歯磨きにも順番待ちなのだ。わざわざ行列するのがいやになるし、使うたびに蛇口をぬぐっておくのも面倒で、流しの縁は狭いから自前の石鹸《せっけん》や歯磨きチューブを出しっぱなしにもできない。ダラルさんのところには専用の流しがあるというのに、その他大勢は共同で使うしかないわけか。

「あたしらに専用のがあったら身分違いってことかしら」ある朝、ついに憤懣《ふんまん》が口をついて出た。

「アパートのためを思ってるのはダラルさんとこだけじゃなかろう」という声もあがった。

いろいろな噂《うわさ》が飛んだ。——あれだけ口論したあとで、あのご主人、奥さんのご機嫌直しにマスタードオイルを二キロと、カシミアのショールと、白檀《びゃくだん》の香りの石鹸を一ダース買ったらしい。電話の申し込みもしたんだそうだ。このごろ奥さんときたら、日がな一日手を洗ってばかりだってさ。

そして火に油をそそぐといおうか、次の朝、ハウラー駅へ向かうタクシーが路地に割り込んできた。ダラル夫妻が十日ほどシムラーへ出かけるのだ。

「ブーリー・マー、べつに忘れてるわけじゃないからね。高地のおみやげに羊の毛布を買ってきてあげるわよ」奥さんがタクシーの窓から言った。膝《ひざ》に抱いている革のハンドバッグが、トルコ石のような色をしたサリーの縁取りと合っていた。

「二枚買ってくるよ」と、奥さんの隣から大きな声で言ったダラル氏は、ポケットを手でさぐり財布がしっかり収まっているのを確かめていた。

あれだけの住人がいるなかで、唯一《ゆいいつ》ブーリー・マーだけが、折りたたみ式ゲートのそばで見送り、道中の無事を祈っていた。

ダラル夫妻が留守をしたとたんに、ほかの女房たちもそれぞれの思いつきで居住環境改善に乗り出した。結婚の腕輪をごっそり処分して、その金で階段の壁を小ざっぱりと塗らせたとか、ミシンを質入れして害虫の駆除を頼んだとか、雨戸を黄色く塗りたいがために、プディング鉢のセットを銀細工屋に買いもどさせたとか……。

アパートは、夜昼ずっと職人が来ている状態になった。その往来を逃れるべくブーリー・マーは屋上で寝るようになった。ゲート内外の行き来が激しく、路地がごった返してばかりなので、ひとの出入りに目を光らす意味がないのだった。

ほどなくブーリー・マーはバスケットと料理用バケツまでも屋上に移してしまった。一階の流しなど使わずともよい。いままでどおり水槽の栓をひねれば用は足りる。上掛けを裂いた布きれを階段の手すり磨きに使う気持ちは変わらなかった。あいかわらず新聞紙に寝ていた。

雨の量が増えた。水のしたたる軒先で、新聞をかぶってうずくまり、蟻《あり》の行列が口に卵をふくんで物干しワイヤーをつたうのをながめた。風に湿気があるぶんだけ背中が楽になった。新聞紙の貯えは減っている。昼までの時間が長かった。昼すぎはもっと長かった。お茶などというものを飲んだのはいつのことだったか。もう苦労した昔のことも、楽だった昔のことも考えなくなって、いつになったらダラル夫妻がもどってきて、新品の毛布をくれるのかとしか思わなかった。

屋上暮らしがやり切れなくなり、このままでは体もなまってきそうなので、ブーリー・マーは午後の散歩に近所を徘徊《はいかい》するようになった。葦束《あしたば》の箒を手に、新聞のインクで黒ずんだサリーをまとって、ぶらぶらと市場を歩いているうちに、なけなしの貯えを取り崩してちょこちょこと贅沢をする癖がついた。きょうはライススナック、あすはカシューナッツ、その次は砂糖黍《さとうきび》ジュース……。

ある日、カレッジ・ストリートまで行った。露店の本屋がならぶあたりだ。翌日はもっと遠出して、ボウ・バザールの八百屋を見た。とあるアーケードの商店街でジャックフルーツや柿《かき》をながめていたときのこと、サリーの端っこをつんつんと引かれるような気がして振り向くと、なけなしの全財産と合い鍵《かぎ》が消えていた。

そんな午後にアパートへ帰ってみると、折りたたみ式ゲートに住人たちが集まって、ブーリー・マーを待ちかまえていた。階段の上へ下へとはね返る人声に、まがまがしい響きがあった。言っていることは同じだ。階段にあった流しが盗まれた。白く塗ったばかりの壁にぽっかりと穴があいて、ゴム管やパイプがごちゃごちゃ突き出ている。はがれた壁材が散っていた。ブーリー・マーは葦束の箒を握りしめ、何とも言えずにいた。

　気のはやった住人たちは、ブーリー・マーをひっさらうようにして屋上へ連れていくと、物干しワイヤーの手前に坐らせ、それと向き合う側から怒声を浴びせだした。

「こいつの仕業なんだよ」と、一人がブーリー・マーを指さしてどなった。「泥棒の手引きをしたのさ。肝心なときに門番がいなかったのがあやしい」

「このところ町なかをうろついて、知らない連中としゃべってた」という事情が述べられた。

「ここの石炭を使わせてやって、寝る場所も貸してやって、よくもまあ仇《あだ》で返してくれたもんだ」と三人目が不思議がった。

　面と向かって言われたわけでもないのに、ブーリー・マーは返事をした。「嘘だと思わないでおくれよ、手引きなんかしやしない」

「おまえさんの嘘にさんざんつきあってやったじゃないか」と口々に言い返された。

「いまさら信じろも何もあるもんか」

こうして延々とやり込められた。ダラル夫妻に何と言えばいい、という理屈だ。そのうちに老チャッタージーの知恵を借りることになった。老人はバルコニーに坐り、交通渋滞を見おろしていた。

ある二階の住人が言った。「ブーリー・マーはアパートの治安を脅《おびや》かしたんですよ。貴重品だってあるでしょうが。ミスラーさんなんか後家の独り身で電話を持ってる。どうしたらいいですかね」

老人は議論を聞いて考えた。考えながら肩に巻いたショールを掛け直し、バルコニーを取り巻く竹の足場を見つめた。老人が背にしている雨戸は、記憶にあるだけの昔から色がついていなかったのだが、いまでは黄色に塗られている。ようやく口を開くと、

「ブーリー・マーは口から出まかせの女だが、そんなのはいまに始まったことではない。昨今目新しいといえば、このアパートの見てくれだな。このくらいの建物になると、本物の門番がいてもよかろう」

そこで住人たちは、ブーリー・マーのバケツとボロ布を、バスケットと葦束の箒を投げ捨てた。階段から下へ、郵便受けを通り越して、折りたたみゲートの外へ、表の路地へ。それからブーリー・マーを放り出した。もう誰の頭にも本物の門番をさがし

たいという考えしかなかった。

捨てられた持ち物のうち、ブーリー・マーは箒だけは手放さなかった。「嘘じゃないよ、嘘じゃない」と、また同じことを言いながら、その姿は遠ざかっていった。サリーの端っこを揺すったが、なんの音もしなかった。

セクシー Sexy

妻にとっては悪夢もいいところだ、という話をラクシュミがミランダに伝えた。結婚して九年で、いとこの夫に女ができたそうなのだ。デリー発モントリオール行きの飛行機で、たまたま席が隣りあったらしい。そこで、妻子のいるわが家へは帰らずに、その女とヒースロー空港で降りてしまった。妻には電話をかけた。機内で話しているうちに人生が変わった、じっくり考えてみたくなった、という。それでラクシュミのいとこは病みついている。

「寝込みたくもなるわよ」と、ラクシュミは言って、のべつ口の中でもぐもぐやっているホットミックスに、また手を伸ばす。赤茶けたシリアルに埃《ほこり》をまぶしたような、とミランダは思った。

「考えてもみてよ。イギリスの女、男の半分くらいの年だって」

このラクシュミは、ミランダよりもいくらか年上でしかないが、すでに結婚していて、夫とならんだ写真を職場の仕切り板に貼《は》りつけていた。タージ・マハールを背景に白い石のベンチに坐《すわ》っている写真だ。その小さい仕事の空間が、ミランダの隣なのである。

ラクシュミはさっきから一時間は電話をかけっぱなしで、いとこの気を静めようとしていた。まわりの誰もが不審だとは思わない。公共放送のラジオ局で資金集めの担当だから、賛助会員を増やすために電話をかけまくって当然だ。

「子供がかわいそうよ」と、ラクシュミは言い添えた。「男の子なんだけど、しばらく学校休んでるんだって。親のほうが連れていけなくなってるから」

「ひどい話ね」ミランダも言った。いつもならラクシュミが電話する声は――たいてい夫への通話で、今夜のおかずがどうのこうのと言っているが――トートバッグや雨傘を景品にして、来年は増額をよろしくと頼み込む手紙をタイプするミランダには、邪魔な雑音でしかなかった。

ラクシュミの話には、ところどころでインドの単語が混じる。それが合板の仕切りを抜けてよく聞こえた。だが、きょうの午後、ミランダの耳はほかへ行っていた。自分も電話中だったのだ。相手はデヴ。今夜はどこで会おうかと打ちあわせをした。

「でも、まあ、ちょっとくらい行かなくても、どうってことない子なのよね」ラクシュミはまた少しホットミックスをつまんでから、引き出しにしまった。「天才みたいなもんだわ。母親がパンジャブ人、父親がベンガル人。学校でフランス語と英語を教わるから、それだけで四言語でしょう。たしか二学年の飛び級をしてるわ」

デヴもベンガル人だ。はじめは宗教上の区別かと思ったが、彼に指をさして教えられた。インドにはベンガルという地方があるのだ、と『エコノミスト』に出ていた地図を見せられた。この雑誌を、わざわざ彼女のアパートまで持ってきたのだ。彼女は地図帳はおろか、地図が出ていそうな本さえ持っていない。

彼は自分が生まれた町と父親が生まれた町を示した。ある地名に四角い印がついていて、よく目立った。なぜ囲ってあるのかと尋ねたら、デヴは雑誌を丸めてしまい、「きみが心配するようなことじゃないさ」と、おどけたようにミランダの頭をこつんとたたいた。

帰り際《ぎわ》に、来たときの習慣になっている三本のタバコの吸い殻といっしょに、彼は雑誌をゴミ箱に投げ捨てた。その車がコモンウェルス・アヴェニューを遠ざかり、妻のいる郊外の家へ向かうのを見送ってから、彼女は雑誌を回収し、表紙についた灰をはらいのけて、また平らになるように逆方向に丸めた。行為で乱れたベッドに一人でもぐり込み、ベンガルの境界をたどった。南には湾曲した海、北には山脈。

グラミーン銀行とかいうものの記事に関連して地図が出ているのだった。デヴの生まれた町が写真になっていたりしないかとページを繰ったが、グラフか表くらいしか見あたらなかった。でも、じっと見ながら考えるのは、デヴのこと、つい十五分前に彼女の足首を自分の肩にのせ、彼女の膝《ひざ》が胸につくほど押して、いくら味わっても飽き足らないと言った男のことだった。

出会ったのは一週間前。デパートの中だった。昼休みに〈ファイリーンズ〉へ行って、地下でバーゲン品のパンティストッキングを買ったのだ。それからエスカレーターで化粧品売場へ上がった。石鹼《せっけん》やクリームが宝石のように飾りつけられ、アイシャドウやパウダーが標本箱の蝶《ちょう》のように光をゆらめかせていた。

口紅を一本買ったことがあるだけなのに、迷路のような狭苦しい売場を歩くのは好きだった。ここが馴染《なじ》みといえば馴染みだが、そういう感覚はボストンでは彼女にしかわからない。要所要所にいる女たちをすり抜けて歩くのだ。試用の紙に香水を吹きつけて振りかざしている。そんな紙がコートのポケットから出てくることがあって、もらったままの香りがほんのり立ちのぼり、寒い朝の通勤に地下鉄を待つひとときを暖めてくれるのでもあった。

その日は、ふと好ましい香りがしたようで足を止めたら、カウンターに立つ男の客がいた。びっしりと女文字で書いたメモを持っていて、これを見た女店員が引き出しをあけていった。取り出したのは黒い箱入りの細長い石鹼と、保湿用のマスク、細胞活性液の瓶、フェイスクリームのチューブが二つ。

男は日に焼けた肌色をして、指に生えた毛が黒いのもわかった。フラミンゴピンクのシャツに、ネービーブルーのスーツ。キャメルのオーバーコートには光沢のある革ボタンがついていた。支払いのために豚革の手袋はとっていた。ワイン色の財布から手の切れるような札が何枚も出た。結婚指輪はしていないようだ。

「何にいたしましょうか」店員がミランダに言った。鼈甲《べっこう》のメガネから上目遣いにミランダの肌色を見定めようとする。

でも、どれが欲しいとは言えない。その男にいてもらいたいと思っただけなのだ。すると何やら男も立ち去りがたいようで、ミランダが口を開くのを店員と一緒になって待っていた。ミランダは化粧品の瓶に目をあてた。背の低いのも高いのも楕円形《だえんけい》のトレーにならんでいて、家族で写真を撮るとでもいうようだ。

「クリームを」と、ようやくミランダが答えた。

「お年は？」

「二十二」

店員がうなずいて、艶《つや》消しガラスの瓶をあけた。「これなんか、いままでのより強めにお感じかもしれませんけど、そろそろいいんじゃないですか。二十五くらいで小《こ》皺《じわ》が出てきますからね。あとはもう増えるだけで」

店員がミランダの顔にクリームをすりつけている横で、男は立ち止まって見ていた。使い方の説明として、ミランダの喉元《のどもと》から上へちょんちょん試し塗りが行われているときに、男は口紅の陳列台をまわした。ポンプ式の容器から皮下脂肪《セルライト》用ジェルを押し出し、手袋をとった手の甲になすった。広口の瓶をあけ、顔を寄せていったので、鼻の頭にちょこっとクリームがついた。

ミランダの顔が笑った。だが店員が顔の前で大きなブラシを動かしていたから、その口元は見えなくなっていたはずだ。「……これが頬紅の二番なんです。ほら、引き立つでしょう」

ミランダはうなずいた。カウンター上に角度をつけてならんだ鏡に目をやっている。銀色の目に、薄皮のむけたような肌をして、それがエスプレッソ用コーヒー豆を思わせる色濃い艶の髪と対照するから、「目立つ」女だとよくいわれる。「きれい」なのかどうかは知らないが。

ほっそりした卵形の顔が、すうっと頭のてっぺんに伸びている。目鼻立ちも細くできあがっていて、鼻の穴などは洗濯ばさみでつまれたのかというくらいに細長いのだった。その顔がいま輝いた。頬をバラ色に染められ、眉《まゆ》の下にうっすら影をつけたようだ。唇が濡《ぬ》れて光った。

男もまた手近な鏡をのぞいて、鼻についたクリームを急いでぬぐっていた。どこの人だろうとミランダは思った。スペイン人かレバノン人かもしれない。もう一つ瓶をあけた男が、誰にともなく「こっちはパイナップルの匂《にお》いだ」と言うのを聞いても、ほとんど訛《なま》りは消えているようだった。

「あとはよろしいですか」ミランダのクレジットカードを受け取った店員が言った。

「ええ」

クリームは赤い薄紙で幾重にも包まれた。「きっとお気に召しますよ」

レシートにサインしようとして、ミランダの手は定まらなかった。男がその場を動いていない。

「アイジェルの新製品がありますので、サンプルを入れておきました」と言いながら、店員は小さなショッピングバッグをミランダに渡した。カウンターの上をすべらせて返すクレジットカードに目を走らせ、「じゃ、どうも、ミランダ」

ミランダは歩きだした。最初は早足になったのだが、「ダウンタウン・クロッシング方面」の出口を見つけて、ペースを落とした。

「お名前にインドが入ってますね」男が歩調を合わせて言った。

彼女が止まり、男も止まった。松ぼっくりとリボンで飾りつけた丸テーブルにセーターが積まれているあたりだ。

「ミランダに？」

「ミラ、ですよ。そういう名前の叔母がいましてね」

男はデヴといった。南駅の方角へ首をひねって、あっちの投資銀行に勤めていると明かした。口ひげのある男でハンサムなのを初めて見た、とミランダは思った。

それから、安手のベルトやハンドバッグをならべた売店を通りすぎ、パーク・ストリート駅のほうへと二人で歩いた。一月の寒風に髪の分け目を乱された。コートのポケットを手さぐりしてトークンをさがしていたら、男が買ってきた包みに目がいった。

「その人に？」

「その人？」

「叔母さんていう方」

「これは女房にですよ」ゆっくりと、ミランダの視線をとらえるように彼はこの言葉を口にした。「しばらく女房がインドへ行くもので」やれやれという目つきだった。

「こういう品物がないといられないようだ」

奥さんが留守だということで、それほどに気まずい感じはしなかった。初めのうちミランダとデヴは毎晩ともに過ごした。毎晩のように、だったか。ただ朝まで泊まるわけにはいかないと彼は言った。かならず朝六時に奥さんからの電話が入る。インドでは午後の四時なのだ。

だから彼は午前二時か三時か、遅いときには明け方の四時までアパートにいて、郊外の自宅へ車で帰っていった。昼間は一時間おきくらいに勤め先か携帯からの電話があった。そのうちにミランダの予定をのみこむと、毎日五時半に留守電を入れるようになった。これはミランダが帰宅途中で地下鉄に乗っている時刻だ。そうすれば――と彼は言うのだ――帰ったとたんに声を聞いてもらえるじゃないか……。「いま、きみのことを考えてる」と、テープの声が言う。「会いたいな。待ちきれないよ」

ここにいると楽しい、と彼は言った。キッチンカウンターはパン容器の幅もあるかないかで、傷だらけのフロアは傾いているようだし、ロビーのブザーは押すと気が引けるくらいの音をたてるけれども、いいアパートだと思うのだそうだ。

ミランダが大学まで行った故郷のミシガンを離れ、他人ばかりのボストンへ出たのだから、えらいものだと思うとも言った。たいしたことではない、出たいから出たまでだと答えると、彼は首を振って、「ぼくは孤独の何たるかを知ってる人間だ」と、

だった。彼のほうから質問をすることもあった。いままでに男は何人か（三人）、初めてのときは何歳だったか（十九）……。

ランチのあと、パンくずの散らかるシーツの上で、二人は体を重ねた。それからデヴが十二分間の昼寝をした。大人の昼寝というのをミランダは聞いたこともなかったが、デヴに言わせれば、そうやってインドで育ったのだそうだ。なにしろ暑いから日が落ちるまでは外へ出ない。「それに、こうして一緒に寝られるじゃないか」と、いたずらっぽい小声を出して、曲げた腕を大きなブレスレットのように彼女に巻きつけた。

だがミランダは眠らなかった。ベッドサイドテーブルの時計を見つめるか、数本ずつ毛が生えているデヴの指に自分の指をからめて、そこへ顔を押しつけるかしていた。六分だけ様子を見てから、ほんとうに寝ているのだろうかと思って、ため息をついたり伸びをしたりしてみた。やはり眠っている。呼吸をしている胸のあばら骨が見えた。そのくせ腹が出てきそうな気配ではあった。肩のへんが毛深くていけないと彼は言っていたが、ミランダには文句なしの男だったし、そうではないデヴを考えたくもなかった。

十二分がすぎるとデヴはずっと起きていたようにぱっちり目を開けて、さも満足げな笑い顔を見せるから、あんなふうになってみたいものだと彼女は思うのだった。

「一週間で最高の十二分間だ」彼はミランダのふくらはぎに手をすべらせて、ほうっと息を吐く。そしてベッドから跳ね起きると、スウェットパンツを引っぱり上げ、スニーカーの紐《ひも》を結ぶ。バスルームへ行って人差し指で歯を磨くということもするのだが、これはインド人なら当たり前なのだそうで、タバコの口臭がとれるのだという。さよならのキスをするとき、ミランダは自分の匂《にお》いが彼の髪についているように思った。でも、うまい口実ができていて、午後のジョギングをしたことになっているのだから、家に帰れば、まず一番にシャワーを浴びてしまえばよいわけだ。

ラクシュミとデヴのほかにミランダの記憶にあるインド系の人たちといえば、子供の頃、近くに住んでいたディクシットという一家くらいなものだった。ディクシット家の子供たちは別として、ミランダも近所のどの子も大いにおもしろがっていたのだが、そこの父親は新興住宅地の曲がりくねった平坦《へいたん》な道を、普段着のシャツとズボンで毎朝ジョギングしていた。スポーツウェアらしきものといえば、安手のケッズを履いていたことだけだ。

週末になるといつも、この一家は――父親、母親、男の子二人、女の子一人が――

そろって車に乗り込み、いずこへともなく出かけていった。近所の評判はよろしくない。あの男は芝生の土壌に手入れをしないし、落ち葉を放ったらかしにしている。一軒だけ合成樹脂の外壁であるのも、このあたりの美観を損ねているではないか。

女親同士がアームストロング家のプールサイドに集まっても、ディクシット家の奥さんを呼ぼうという話は出なかった。子供たちもまた、スクールバスを待ちながら、その三人だけが端に寄って立ち、ほかの子は「ディクシット、ディくそット」などとこっそり言って笑いこけていた。

ある年のこと、この家の娘の誕生パーティーに、近所の子供たちが招かれた。むっとする香料とタマネギの匂い、玄関に重なった何足もの靴を、いまでもミランダは覚えている。だが強烈な印象があったのは一枚の布だった。枕《まくら》カバーくらいの大きさで、階段の下に木釘《きくぎ》で吊《つる》されていた。裸女の絵である。赤い顔が騎士の盾のような形だった。釣り上がった巨大な白目に、ぽつんと点のような黒目がついていた。二つの円形の、それぞれ真ん中に同じ小丸をつけたのが乳房らしい。一方の手に短剣をかざしていた。もがく男を片足で地面に踏みつけている。ネックレスのようなものを体に巻いているのだが、これは血のしたたる生首でできていて、ポップコーンを糸でつないだようでもあった。そういう女がミランダに向けて舌を出している。

「カーリーという女神なのよ」ディクシット夫人が明るい声で言って、いくらか木釘を動かし絵をまっすぐにした。夫人の手には赤褐色の染料が塗られていた。ジグザグと星の精密な模様になっている。「いらっしゃい、ケーキにしましょう」

当時九歳のミランダは、こわさが先に立って、ケーキを食べるどころではなかった。それから何カ月もの間、ディクシット家の前を通るときは、道の反対側しか歩けなかった。バスストップへ行き、また家へ帰るために、日に二度は通らざるを得ない。しばらくの間は、次の家の芝地にさしかかるまで、ちょうどバスが墓地を通過するときと同じように、息を止めていたほどである。

恥ずかしい、といまでは思う。いま、デヴと肌を合わせながら目を閉じれば、砂漠と象が、満月の湖上にゆらめく大理石のパビリオンが、見えるようなのだ。

ある土曜日、なんとなく暇なものだから、わざと歩いてセントラル・スクエアへ行き、インド料理のレストランでタンドリーチキンを頼んだ。食事中、メニューの下のほうに印刷してある「おいしい」「水」「お勘定」といったような意味の言葉を覚えようとした。なかなか覚えられない、というのがきっかけでケンモア・スクエアの書店へ立ち寄ることが多くなった。外国語コーナーにある独習書のシリーズで、ベンガル語の文字を頭に入れた。

名前の中のインド風の部分だと言われた「ミラ」を、そういう文字でシステム手帳に書いてみようとしたことさえある。ペンを持つ手が思いもよらない動き方をして、止まったり、曲がったり、はねたりした。

教本の矢印にしたがい、左から右へ棒線を引いて、そこへ引っかけるように字を書いた。なんだか数字のように見えるものもあれば、三角形みたいなのもあった。何度もやり直して、どうにかお手本に似せて書くことができたが、できあがったものがミラなのかマラなのか自信はなかった。いたずら書きのようでもある。しかし、世界のどこかには、これで意味をなすところがあると気づいて、はっとする思いでもあった。

週末が来ないうちは、そう悪くなかった。仕事で忙しくしていられた。お昼にはラクシュミとすぐ近くにできたインドレストランへ行くようになっていた。そういうときラクシュミは、いとこの婚姻状態について最新の情報を伝えるのだった。ミランダのほうから話題を変えようとすることもあったが、そうすると、大学時代にボーイフレンドと混みあったパンケーキの店から支払いをせずに出てしまったときのような気分になった。抜けられるかどうか試しただけ、というような。

だが、ラクシュミはその話しかしなかった。「あたしだったら迷わずロンドンへ飛んで、二人とも撃ち殺すわ」と言ってのけた日もある。薄型のパンを二つにちぎってチャツネにつけた。「おとなしくしてるなんて気が知れない」

おとなしく待つ気持ちがミランダにはわかるのだった。夜になればダイニングテーブルに向かって坐り、透明なマニキュアを爪《つめ》に塗って、サラダボウルからサラダを食べて、テレビを見て、日曜日を待った。

土曜日は最悪だった。日曜日が永遠に来ないように思われた。ある土曜日、夜遅くにデヴからの電話があったが、にぎやかに談笑する声が聞こえた。だいぶ人数が多そうなので、コンサートホールにでもいるのかと言うと、やはり郊外の自宅からというだけで、「あんまりよく聞こえないな。けっこう客がいるんだ。どう、会いたい?」

彼女はテレビの画面を見た。電話が鳴ったときリモコンで消音したホームドラマである。たぶん声をひそめて携帯に向かってしゃべっている彼の姿を思い浮かべた。二階の部屋で、手はドアノブにかけていて、廊下には人がいっぱいで、というところか。「どう、ミランダ、会いたいかい?」と、また言った。ええ、と答えた。

次の日、やって来たデヴに、奥さんてどんな人なの、と訊《き》いてみた。口にする度胸が据わらなくて、彼が最後のタバコを吸い、受け皿にぎゅっともみ消すまで言い出さなかった。喧嘩《けんか》の種になるかとも思ったのだが、デヴは平然としたもので、白身魚の薫製《くんせい》をクラッカーにのせながら、女房はマドゥリ・ディクシットというボンベイの女優に似ていると言った。

一瞬、ミランダの心臓が止まった。でも、まさか。あのディクシット家の娘とは名前が違う。たしかPで始まる名前だった。それでも何かの縁続きということはないだろうか。でも美人ではなかった。高校を出るまで、ずっと髪を二本に編んでいたが。

数日後、セントラル・スクエアのインド系雑貨店へ行った。レンタルビデオもやっている。ドアを開けると、じゃらじゃらんとベルが鳴って迎えた。ちょうど食事時で、先客はいないようだった。店の一角にテレビが一台、高い位置に据えつけてあって、ビデオが映っていた。ハーレムパンツの若い女が列をなして、海岸で一斉に腰を揺らしている。

「いらっしゃい」と、レジにいる男が言った。紙皿の褐色のソースにつけながらサモサを立ったまま食べている。腰くらいの高さのガラスカウンターの下にぼってりしたサモサを置いたトレーがならんでいた。また、見たところ色の薄いダイヤモンド形のファッジのようなものにホイルがかけてあり、シロップ漬けになった明るいオレンジ色のペストリーもあった。「ビデオのご用かな」

ミランダはシステム手帳を開いた。「マトリ・ディクシット」とメモしてあった。

カウンターのうしろのビデオ棚を見上げる。ローヒップのスカート、胸の谷間で上衣《うわぎ》をバンダナのように結んだ女たちが見えた。石壁なり樹木なりに寄りかかる姿もある。美女というべきだろう。海岸の踊子と同じ性質の美だ。まぶたに黒粉の縁取り。長い黒髪――。ああ、きっとマドゥリ・ディクシットも美女なのだ、とミランダは思った。

「字幕つきのもありますよ」と男は言葉を継いで、指先をシャツになすりつけてからビデオを三本取り出した。

「いえ、あの、いいんです」何となく店内を歩いて、ラベルのない箱や缶の棚をながめた。冷凍ケースにはパンの袋や何だかわからない野菜がびっしり詰まっていた。一つだけ見覚えのある品物は、ラックに満載のホットミックスの袋だった。いつもラクシュミが食べている。おみやげに少し買っていってやろうかとも思ったが、なぜこんな店に来たのか説明に困りそうで、ちょっと手を出しかねた。

「ピリ辛ですよ」と、男は首を振った。その目がミランダの体に這《は》うようだ。「慣れないとだめでしょ」

　二月になっても、ラクシュミのいとこの夫は、まだ正気にもどってはいなかった。いったんはモントリオールへ帰ったそうだが、二週間とげとげしい夫婦喧嘩をしたあとで、二つのスーツケースに荷物をまとめて、またロンドンへ飛んだとか。もう離婚したい腹らしい。

ミランダは四角い仕事空間に坐《すわ》って、いとこに長電話するラクシュミの声を聞いていた。あんなのだけが男じゃないわよ、ひょっこり新しいのが出てくるんだから、と言っている。あすには息子を連れてカリフォルニアの実家へ帰る、という答えがあったようだ。休養である。じゃあ、一週間はボストンへ寄り道なさい、というほうへラクシュミが話を持っていった。「ちょこっと転地療法よ」やんわり押さえつける。「それにさ、しばらく会ってないじゃない」

ミランダは自分の電話を見つめた。デヴからかかってくればいいのに。もう四日は話をしていない。ラクシュミが番号案内へかけたようだ。ビューティーサロンを教えてもらっている。「いやされる感じがいいんだけど」と、今度は予約だ。マッサージ、フェイシャル、マニキュア、ペディキュアという予定を組んだ。その次は〈フォー・シーズンズ〉でランチの席をとった。いとこを元気づけたい気負いがあって、うっかり息子のことを忘れてしまった。合板の仕切をこんこんノックして、

「土曜日、時間とれない？」

痩《や》せた子だった。黄色いナップサックを背負って、ヘリンボーンの灰色のズボンをはいて、赤いVネックのセーター、黒の革靴という格好だった。ぱさっと目にかかりそうな髪型だが、その目の下に隈《くま》ができているように見えた。まずミランダが気づいたのはそれだった。たった七歳のくせに、タバコの吸いすぎと睡眠不足とでもいうようなやつれ方なのだった。らせん綴《と》じの大判スケッチブックをしっかり持っていた。名前をロヒンという。

「しゅとを訊いてよ」と、目を上げてくる。

ミランダも見つめ返した。土曜日の朝八時半。コーヒーカップに口をつけて、「え、何を？」

「この子の遊びなんですよ」ラクシュミのいとこが補足した。この母親も痩せぎすで、細長い顔に、やはり目の下に隈がある。錆色《さびいろ》のコートをずっしり肩に受けている感じだ。耳の上あたりにやや白いものの混じる黒髪は、バレリーナのようにきゅっと後ろへ引かれていた。「国の名前を言うと、この子が首都を答えるんです」

「さっき、車の中ですごかったのよ」と、ラクシュミが言った。「ヨーロッパは完全に覚えてるわ」

「遊びじゃないよ」ロヒンが言った。「学校に競争相手がいるんだ。ぜんぶ覚える競争なんだけど、勝てると思うよ」

ミランダはうなずいた。「ようし、それじゃインドの首都は？」

「そんなのだめ」彼はおもちゃの兵隊のように腕を振って遠ざかり、母親のほうへ帰還すると、オーバーコートのポケットを引っぱった。「むずかしいの言ってよ」

「セネガル」と、ラクシュミのいとこは言った。

「ダカール！」ロヒンは得意満面に声をあげ、だんだん大きくなる円を描いて部屋の中を駆けまわりはじめ、そのうちにキッチンへ走り込んだ。冷蔵庫を開け閉めする音をミランダは聞いた。

「ロヒン、勝手にさわっちゃだめよ」母親が疲れたように言った。どうにかミランダのほうへ笑ってみせて、「しばらくしたら寝ると思いますから。すみません、子守なんかさせて」

「三時に帰るわね」ラクシュミがいとこと廊下を歩いていった。「いま二重駐車しちゃってるのよ」

ミランダはドアチェーンをかけてからキッチンへ行き、ロヒンの姿をさがすと、すでに居間のダイニングテーブルにいて、ディレクターズチェアに立て膝《ひざ》で坐っていた。ナップサックのジッパーを開け、ミランダがマニキュア用品を入れているバスケットを押しのけて、テーブルの上にクレヨンを取りそろえる。ミランダはうしろから見おろす位置にいる。子供は青のクレヨンに力をこめて飛行機の輪郭を描いた。

「あら、じょうず」と言っても返事がないので、キッチンへ行ってコーヒーをつぎなおした。

「ぼくにもちょっとね」ロヒンがこっちへ言ったようだ。

居間へ振り返り、「ちょっと何なの？」

「ちょっとコーヒー。たっぷりあるでしょ、ポットに。さっき見たよ」

ミランダはテーブルへもどって、向かいあわせに坐った。子供はほかのクレヨンを取ろうとして何度か立ち上がりかけたが、ディレクターズチェアがへこむようにも見えなかった。

「コーヒーは、まだ早いんじゃないの」

ロヒンはスケッチブックにおおいかぶさる姿勢になった。ちんまりした胸と肩が紙にくっつきそうだ。そうやって首をかしげている。「スチュワーデスは飲ませてくれた。ミルク入れて、砂糖たっぷりで」

彼が伸び上がると、飛行機のそばに女の顔が描いてあった。波打つような長い髪と、アステリスクのような目。「もっと髪の毛がてかてかしてた」と判定しておいて、「おとうさんも飛行機できれいな女の人に会ったんだって」と、ミランダを見た。コーヒーに口をつけるミランダに、彼の顔が曇った。「ねえ、ちょっとはいいでしょ」へんに落ち着いた沈みがちな顔をしているが、案外、癇《かん》の強い子なのではないか、とミランダは思った。コーヒーが欲しいと泣き叫んで、あの革靴で蹴《け》りつけてきたりするのではないか。母親がラクシュミと帰ってきて子供を連れていってくれるまで、泣いて騒いだりされるのではないか。

それでキッチンへ行き、ご要望によって一杯ついでやった。あまり気に入っていないマグを選んだ。うっかり落とされないともかぎらない。

「ありがと」テーブルに置いてやると、その子が言った。マグをしっかり両手で押さえ、何度かに分けて飲む。

そばに坐っていてやれば、おとなしく絵を描いているようなので、それならマニキュアを塗ってしまおうかと思ったら、子供が文句を言った。そんなことより、とナップサックからペーパーバックの世界年鑑を引き抜いて、問題を出してよと言った。

大陸別の分類で、一ページあたり六カ国。太字で首都の名が書いてあり、人口、政治機構、その他の統計が、簡略に紹介されていた。ミランダはアフリカの中からあるページを見て、リストをたどった。

「マリの首都は？」

「バマコ」即座に答えがあった。

「マラウィ」

「リロングウェ」

そういえば〈マッパリウム〉で見たアフリカを思い出した。大陸のふくらんだ部分が緑色をしていた。

「もっとやってよ」ロヒンが言った。

「モーリタニア」

「ヌアクショット」

「モーリシャス」

ぐっと詰まって、きつく目を閉じ、その目を開ける。降参のようだ。「忘れちゃった」

「ポートルイスよ」

「ポートルイス」これを彼は何度も口に出して、お祈りを唱えるようだった。

アフリカの国を最後まで終えてしまうと、ロヒンはテレビの漫画を見たいから、いっしょに見てよと言った。その漫画も終わると、彼はミランダにくっついてキッチンへ行き、コーヒーを淹《い》れるそばに立っていた。数分のちに、さすがにトイレまではついてこなかったが、ドアを開けて出ると、すぐ前に彼がいたのだから驚いた。

「あなたもトイレ？」

彼は首を振りながらもバスルームへ入っていき、トイレの蓋《ふた》をおろして、その上に乗っかり、ミランダが歯ブラシや化粧品をおいている流しの上の狭いガラス棚を点検した。

「これ何するもの？」と手にとったのは、デヴと初めて会った日に、サンプルでもらったアイジェルだ。

「腫《は》れぼったいときにね」

「腫れぼったいって？」

「こんな感じ」彼女は指さしてみせた。

「泣いたあととか？」

「かもね」

ロヒンはチューブの蓋をとって、鼻をきかせた。指先に絞り出し、手になすりつけて、「しみる」

手の甲を、変色するとでも思っているように、仔細《しさい》に見た。「おかあさんも腫れぼったい。風邪だって言うけど、泣いてるんだよね。ぶっとおしで泣くこともある。食事しながらでも泣く。泣きすぎて目がウシガエルみたいに腫れたりする」

何か食べさせたほうがいいのかしら、とミランダは思った。キッチンにありそうなのは米菓の袋とレタスくらいだ。ちょっとデリに買い出しでも行ってあげようかと言うと、べつにお腹《なか》すいてるわけじゃないから、とロヒンは米の菓子を一つ受け取っただけだった。「いっしょに食べてよ」

菓子をはさんで差し向かいになった。ロヒンがスケッチブックの真新しいページを開いた。「描いて」

彼女は青のクレヨンをとった。「何にしようか？」

ロヒンはちょっと考えてから、「それじゃあ」と言った。居間にあるものを絵にしてくれという。ソファ、ディレクターズチェア、テレビ、電話。「そうすれば思い出になる」

「思い出？」

「二人の一日ってことだよ」彼は菓子に手を伸ばした。

「どうして思い出にしたいの？」

「だって、もう二度と会えないんだよ、絶対」

ずばり言い切られた衝撃があった。気が滅入《めい》ったようになって彼を見てしまったが、そのロビンはどうということもなさそうに、スケッチブックを指でたたく。「ねえ、描いてよ」

そこで彼女はどうにか描けるだけ描いてみた。ソファ、ディレクターズチェア、テレビ、電話——。と、手元が見にくくなるほどに、彼がすり寄ってきた。小さい褐色の手を彼女の手に重ねて、「今度はぼくね」

クレヨンを渡した。

彼が首を振った。「ちがう。ぼくを描いてってこと」

「だめよ。へただもの」

ロビンの顔に、さっきコーヒーを断られたときのような、沈んだ表情が広がった。坐った姿勢がぴくりとも動かない。あらたまった陰のある顔つきで、かたくなに視線をそらしていた。

うまく似顔絵になればいいけど、とミランダは思った。目で追うものを手が追おうとするのだが、いつか書店でベンガル語の文字を真似《まね》して名前を書こうとしたときのように、いかにも不慣れな動きだった。まるで似ていない。ちょうど鼻にかかっていると、彼は身をねじるようにしてテーブルから離れていった。

「つまんない」という通告があって、寝室へ向かうようだ。まずドアが開き、タンスの引き出しが開いて閉まる音がした。

そっちへ行ってみると、彼はクロゼットの中にいた。ほどなく出てきたときには、髪がぐしゃぐしゃで、銀のカクテルドレスを手に持っていた。「落ちてたよ」

「ハンガーから滑りやすいの」

ロビンはドレスを見て、ミランダの体を見た。「これ着て」

「え、なに？」

「着てよ」

こんなものを着る謂《い》われはなかった。〈ファイリーンズ〉の試着室ではともかく、結局着ずじまいになっている。デヴとつきあっているかぎり着ることはなかろう。たとえばレストランへ行って、テーブルをはさんで手にキスをされるというようなことはないはずだ。会うところといえば日曜日にこのアパートだし、彼はスウェットパンツで彼女はジーンズ。

ドレスを返させると、しなやかな生地にしわが寄る心配もないのに、一応ばさっと広げた。クロゼットに手を伸ばし、あいているハンガーをさがす。

「ねえ、着てよ」いつの間にかロビンが背後にいた。二本の細い腕で彼女の腰へしがみつき、顔を押しつけてくる。「ねえってば」

「しょうがないな」しがみつく腕の力が意外だった。

うれしそうな笑みを見せて、彼はベッドにちょこなんと坐《すわ》った。

「あっちで待ってなさい」と、ドアの外へ手を向けた。「着たら行ってあげるから」

「おかあさんはぼくのいる前でも脱ぐよ」

「そうなの?」

ロヒンがうなずいた。「脱いでそのまんまだよ。ベッドのそばに落として、もうごちゃごちゃ」

「ぼくの部屋で寝たこともあるんだ」と話がつづいた。「自分のベッドより寝心地いいんだって。おとうさんはいなくなったし」

「でも、あたしはおかあさんじゃないから」ミランダは彼を脇《わき》の下で抱きあげ、ベッドから降ろした。だが立つのをいやがるので、仕方なく持ち上げる。予想外の重さがあった。くっついてきて、両脚で彼女の腰をはさみつけ、顔を胸元へ押しつける。どうにか廊下へ降ろして閉め出した。

念には念を入れるつもりで掛け金をして、ドアの室内側に固定した姿見に目をやりながら、そのドレスに着替えた。こうなると足首までのソックスでは間が抜けているので、引き出しのストッキングをさがした。クロゼットの奥のほうから小さなバックルのついたハイヒールを見つけて、これに足をすべり込ます。鎖骨にあたるチェーンストラップが、ペーパークリップのように軽く感じられる。ちょっとゆるめなのだ。一人ではジッパーを上げきれない。

ロヒンがドアをノックしだした。「もう入っていい？」

ドアを開けてやった。ロヒンは世界年鑑を両手でささえるように持ち、何やらぶつぶつ唱えていた。彼女を見て、目を丸くする。

「ジッパーあげてくれない？」彼女はベッドに腰かけた。

ロヒンがきっちり上まであげると、ミランダは立ち上がって、くるりと回った。ロヒンが本を下においた。「セクシーだ」と言ってのける。

「何ですって？」

「セクシーだ」

ミランダはまた腰をおろした。どういう意味があるわけないと思いながら、一瞬心臓が止まるようだった。およそ女はセクシーなものだと思っているのではなかろうか。テレビで聞いて覚えたのか。それとも雑誌の表紙にでも書いてあるのを見たのか。ついへマッパリウム〉へ行った日を思い出してしまった。通路の橋の向こうにデヴがいた。あのときには何を言われたかわかる気がした。あのときの言葉には意味があった。

ミランダは腕組みをして、ロヒンの目を見つめた。「あのねえ」

返事がなかった。

「わかってるの？」

「何を」

「いま言ったじゃない。セクシーって。どういう意味？」

彼はうつむいた。いきなり内気になった。「言いにくい」

「どうして」

「秘密だから」ぎゅっと口を結んだので、唇に白いところができた。

「じゃあ、その秘密とやらを教えてよ」

ロヒンはミランダとならんでベッドに坐り、靴のかかとをマットレスにぶつけはじめた。もじもじ動いて、くすぐられてでもいるように、細身の体をすくめている。

「教えなさい」ミランダは語気を強めた。下へ手を伸ばし、彼の足首をつかんで静まらせた。

薄い目をしてロヒンが彼女を見た。またマットレスを蹴りつけようとしたが、ミランダが力で押さえた。彼は背中を板のように伸ばして、ベッドにひっくり返った。両手で口を囲っておいて、そうっと小さく声にした。「知らない人を好きになること」

素肌の下へしみこむような言葉だった。デヴの言葉もそうだったが、いまは火照《ほて》るというよりは冷たく麻痺《まひ》しそうだ。インド系の雑貨屋での感覚を思い出す。デヴの奥さんが似ているというマドゥリ・ディクシットが美人だと、その映像を見なくてもわかったときの感覚。

「おとうさんがそうなったんだ」ロビンが先を言った。「知らない人が隣の席にいて、それがセクシーな人で、おかあさんよりそっちのほうが好きになった」

彼は靴を脱いでフロアにそろえると、本を持ったまま、上掛けをめくってミランダのベッドにもぐり込んだ。ほどなく本は手から落ち、彼は目をつむった。

その寝姿を彼女は見ていた。上掛けが寝息とともに上下する。デヴとちがって十二分では起きなかった。二十分でも起きない。彼女が銀のカクテルドレスを脱ぎ、もとのジーンズをはいて、ハイヒールをクロゼットの奥にしまい、ストッキングを巻き上げて引き出しにしまっても、彼は目を開けなかった。

すっかり片づけると彼女はベッドに腰かけた。寝顔の口元にさっきの米菓子の白い粉がくっついているとわかるくらい間近くのぞき込んでから、落ちている本を拾った。

ページをめくっていると、モントリオールの家で彼が耳にしたはずの諍《いさか》いが思われた。「きれいな人？」と母親が父親に言ったのでもあろう。その母はずっと着たきりのバスローブを着て、自分だってきれいな顔立ちなのに、その顔に恨みがましさを隠せない。「セクシーなの？」とも言う。父親はとりあえず否定して話をそらしたがる。「ごまかさないで」母親が声をとがらす。「どうなのよ、セクシー？」結局、父親がそうだと言い、母親が泣きに泣いて、ベッドのまわりに服を脱ぎちらかし、泣きはらした目はウシガエルのようになっている。「よくもまあ」と泣き声を絞る。「よくもまあ、知りもしない女を好きだなんて」

そんな空想をふくらませたら、何だか一人で泣けてきた。あの日〈マッパリウム〉では、世界各国が手の届きそうな近さにあって、そのガラスにデヴの声がさかんにはね返った。橋の向こうから、十メートル近い距離があるのに、彼の言葉はしっかりと耳に届いて、すぐ近くに温《ぬく》もりがあって何日でも肌の下に流れているようだった。泣いたら止まらなくなり、いっそう泣いた。でもロヒンは寝たままだ。もう慣れてしまったのだろう。女の泣き声というものに。

日曜日、デヴからの電話があった。これから来るという。「もうすぐ出られる。二時に着くよ」

彼女はテレビの料理番組を見ていた。女の出演者がリンゴをならべて、焼きリンゴにはどれが最適か話している。「きょうはまずいわ」

「どうして」

「風邪なのよ」と嘘《うそ》をついた。でたらめとも言いきれない。泣いたあとで鼻が詰まったような感じだ。「朝から寝てたの」

「そういえば鼻声だな」ちょっと間ができた。「困ってることないかい?」

「万事オーケー」

「うんと水分をとれよ」

「デヴ?」

「え、何だい」

「ほら、いつか〈マッパリウム〉へ行ったでしょう?」

「行った行った」

「両方から小さい声を出したでしょう?」

「そうそう」デヴは洒落《しゃれ》っ気を出してささやいた。

「あなたの言ったこと覚えてる?」

また間があった。「きみのアパートへもどろう、だね」彼は静かに笑った。「じゃあ、今度の日曜にしようか？」

きのう、泣きながらミランダは、忘れられるものかと思っていた。ベンガル文字で書いた名前の感じだって忘れない——。

ロヒンと添い寝で眠ってしまい、目を覚ますと、彼女がベッド下に隠しておいた『エコノミスト』に飛行機の絵を描いていた。「デヴァジット・ミトラって誰？」と言う。宛先《あてさき》ラベルを見られたのだった。

ミランダは、スウェットパンツとスニーカーをはいて電話に笑い声を入れているデヴを目に浮かべた。すぐ奥さんがいる階下へ降りるのだろう。きょうはジョギングへ行かないと言うのだろう。ストレッチをしていたら筋を違えたということにして、のんびり新聞でも読みはじめる。

どうしようもなく会いたかった。今度の日曜だけは会おう。いや、その次までか。そうしたら、ずっとわかっていたことを言ってしまおう。わたしにも奥さんにもフェアじゃない。どっちも割を食っている。だらだら続けても仕方ない。

だが、その日曜日には雪が降った。チャールズ川沿いにランニングをするという口実が成り立たない雪だった。

その次の日曜日は、もう雪は解けていたが、ミランダはラクシュミと映画に行く予定を立てていた。そのように電話で言うと、もうデヴは予定をキャンセルしろとは言わなかった。

さらに次の日曜日、彼女は早起きをして散歩に出た。肌寒いけれども晴れ上がった日で、コモンウェルス・アヴェニューを歩ききり、デヴにキスされたレストランを軒並み通り越して、クリスチャン・サイエンス・センターまで行った。〈マッパリウム〉は閉まっていたが、そのへんでコーヒーを一杯買って、教会前のプラザでベンチに腰をおろし、そびえる列柱とドームの威容をながめ、さわやかに青い都会の上空をながめた。

セン夫人の家

Mrs. Sen's

エリオットがセン夫人の家へ行くようになったのは、九月に新学期が始まって以来だから、そろそろ一カ月になる。

去年、面倒を見てくれたのは、アビーという女子大生だった。ほっそりして顔にそばかすがあり、表紙に絵のない本を読んでいて、肉類のはいった食事は一切つくってくれなかった。

その前は、もっと年のいったリンデン夫人が学校から帰ったエリオットを出迎えた。魔法瓶のコーヒーを飲んではクロスワードパズルをやっていて、エリオットは一人で遊ばせておくという人だった。

アビーは学位をとってほかの大学に移っていったのだが、リンデン夫人のほうは、魔法瓶の中身がコーヒーよりウィスキーであることが多いのをエリオットの母に察知され、首になるという結末にいたった。

セン夫人は、スーパーマーケットの掲示板カードに、きちんと書かれたボールペンの文字という形をとってあらわれた。「大学教師の妻、誠意と責任をもってお子さんを預かります」

エリオットの母は電話をかけて、いままでのベビーシッターには通いで来てもらっていたと言った。「十一歳なんです。放っておいても自分で食べて遊んでますけど、やはり何かあったときに困りますから、大人についていってもらいたいんです」

だがセン夫人は車の運転ができないと言った。

「ご覧のとおり、清潔に暮らしてますし、お子さんが危ないこともありません」初対面のときセン夫人は言った。キャンパスの外縁にある教員宿舎のアパートだ。ロビーに張った四角い褐色のタイルは、あまり趣味がよろしくない。ならんでいる郵便受けはマスキングテープや白いラベルで区別されていた。

室内では、掃除機をかけたあとが、ふかふかした梨色《なしいろ》のカーペットに交差する陰影として、くっきり残っていた。ちっとも似合わない別のカーペットの端切《はぎ》れらしきものがソファや椅子《いす》の前にあって、人間の足がどこを踏んでいくのか心得ている玄関マットのように、それぞれの位置を占めていた。

ソファの横にあるドラム型のランプシェードは、出荷時のビニールをかぶせられたままだった。テレビと電話にはひらひらの黄色い布カバーがかけてある。背の高いグレーのポットにお茶が入れてあり、マグが用意されて、トレーにはバタービスケットがのっていた。

ご主人も同席した。ずんぐりした体型で、出っぱり気味の目玉に黒い長方形フレームの眼鏡をかけていた。大儀そうに足を組み、飲んでいないときでもマグを両手でささえて、口にくっつきそうに持つのだった。

夫婦そろって靴をはいていない。玄関脇《わき》の小さな本箱に何足か靴があったのをエリオットは見ていた。このときはいていたのはビーチサンダルだ。「主人は大学で数学を教えています」と、夫人が紹介のつもりで言ったのが、何だか他人行儀に聞こえた。

夫人は三十がらみの人だった。歯に一カ所だけ小さな隙間《すきま》があり、うっすらと顎《あご》に痘痕《あばた》がついていたが、きれいな目をしていて、くっきり濃い眉《まゆ》に精彩があり、澄んだきらめきがまぶたにおさまりきらないようだった。身にまとうのはオレンジ色のペーズリー模様のつやつやしたサリーで、こんな静かな小雨模様の八月の午後よりは、夜会か何かにでも着ていくのがふさわしいものだった。あざやかに映えるサンゴ色の口紅が、わずかに唇からはみ出ていた。

それよりも、おかあさんのほうが……とエリオットは思った。折り返しのあるベージュのショートパンツに、すべり止めの靴というおかあさんのほうが、おかしな格好に見える。そのショートパンツと色が似ていなくもない短髪だって、いかにも芸がない感じだ。すべてがていねいに包まれているこの部屋で、むだ毛処理をした膝《ひざ》から上が、やけに丸出しになっている。

　セン夫人が、おひとつどうぞというようにビスケットの皿を向けるたびに、おかあさんは遠慮をし、次から次へと質問を発しては、返ってくる答えを事務的なノートに書き留めた。――ほかにもお子さんは来るんですか、以前から預かっていらっしゃるんですか、アメリカへいらして何年におなりですか……。

　何よりも気にかかったのは、セン夫人が車を運転できないということだった。エリオットの母は北へ八十キロ離れたオフィス勤めだし、父親ときたら、風の便りに聞けば、西へ三千キロ離れて暮らしている。

「いや、じつは、私が教習をしてやってるんですよ」セン氏がコーヒーテーブルにマグを置いた。「十二月には免許が取れそうな見通しですね」

「そうですか」エリオットの母は新情報をノートに記録した。

「はい、勉強中です」と夫人は言った。「でも、覚えの悪い生徒でして。うちには、あのう、運転手がいますから」

「お抱え、ですか？」

　夫人がセン氏を見やって、セン氏はうなずいた。

　エリオットの母も、部屋を見回してうなずいた。「それは、つまり……インドで？」

「はい」インドという言葉が出たことで、夫人の中に何か生じるものがあったようだ。斜めに上がっていくサリーの胸元あたりを整え、自分でも部屋を見回した。ランプシェードやティーポットやカーペット上の陰影に、ほかの者にはわからない何かを見ていたのでもあろうか。「みんな、あっちです」

エリオットは放課後にセン夫人の家へ行くのがいやではなかった。母と二人暮らしの小さな海岸の家は、九月にはもう寒さが感じられた。部屋から部屋へとヒーターを持ち運ばなければならなかったし、窓にはビニールシートにドライヤーをあてて目張りをした。

ものさびしい海岸は一人で遊びたくなる場所ではなかった。労働の日《レーバー・デー》をすぎてなお居残っている隣人は、子供のいない若夫婦だけだ。それに、もうエリオットは貽貝《いがい》のかけらをバケツに集めても、エメラルド色のラザニアのように砂に散らかる海草にさわっても、おもしろいとは思わなかった。

セン夫人のアパートは暖かかった。暑いことさえあった。ラジエーターが圧力鍋《なべ》のような音を間断なく漏らしていた。エリオットは、ここへ来るとまずスニーカーを脱ぐことと、本箱の上にならぶセン夫人のスリッパの横にそろえておくことを覚えた。

すべて色のちがうスリッパは、底がボール紙のように真っ平らで、足の親指にかけるための革製の輪がついていた。

めずらしいと思ったのは、セン夫人がものをすぱすぱ切るところだった。居間のフロアに新聞紙を敷き、そこに坐《すわ》って切るのだ。包丁ではない。はるかな海に乗り出すヴァイキングの軍船の舳先《へさき》のように曲がっている刃物だった。その一端が細長い木製の台座に留められ、刃の角度が変わるようになっている。銀色というより黒に近く、輝きにムラがあって、先っぽにギザギザがついていた。すりおろすのに便利よ、と夫人は言った。

毎日、午後に行くと、夫人は刃の部分を上げて、カチッと一定の角度に固定した。鋭利な刃に手をふれないように正対して、両手にはさんだ野菜をぶつりと押し切る。カリフラワー、キャベツ、バターナットカボチャ……。一個が二個に、二個が四個に。たちまち花の形に、角切りに、薄切りに、千切りに。ジャガイモの皮むきもあっという間だ。あぐらをかいて坐ることも、脚を広げて坐ることもあった。手近なところに水切りだの浅い鉢だのをならべていて、切った野菜を水にひたしていく。

そういう仕事をしながら、夫人はテレビに目をやりエリオットに目をやっていたのだが、刃物にはちっとも目が行かないようだった。ところがエリオットには、切っているそばでうろうろ歩いたりしてはいけないと言うのだった。

「坐ってるのよ、動いちゃだめよ。あと二分で終わりますからね」と、ソファを指すのだった。このソファには、背中に輿《こし》をのせた象の行列の模様がついた、緑と黒のベッドカバーが掛けられているのが常だった。

この日課は一時間で終了した。それまでエリオットが飽きないように、夫人は新聞の漫画欄や、ピーナツバターをつけたクラッカーを用意した。アイスキャンディーのときもあった。例の刃物で彫刻したニンジンスティックだったりもした。

夫人としては、できることならロープを張って、刃物のまわりを立入禁止にしたかったくらいだろう。だが一度だけ、夫人のほうからルールを破ったことがある。手元に足りないものができて、それなのに身動きがとれないほど散らかした現場を乗り越える気にもなれなくて、これこれの品物をキッチンから取ってきてほしいとエリオットに言ったのだ。

「悪いけど、プラスチックのボウルがあるからね、このホウレン草が入るくらいので、冷蔵庫の横の戸棚よ。気をつけて、あ、ほら、気をつけて」と、近づいてくる彼の注意を促した。「そう、そこに置いて、ありがとう。コーヒーテーブルの上に。届くから」

インドから持ってきた刃物だった。どうやらインドでは一家に一つはあるらしい。「家族の結婚式とかね——」と、ある日エリオットに言った。「そういう大きなお祝いごとがあるとね、うちの母なんか、宵の口から近所じゅうの女に声をかけて、こういう道具を持って集まってもらうの。屋上へ出て、ぐるっと大きな輪になって、おしゃべりして笑いながら、五十キロの野菜を夜っぴて切り刻むのよ」

夫人の横顔が、大事なものを守ろうとするように、仕事の成果を見渡していた。キュウリやナスが花吹雪になり、タマネギの皮が降り積もっている。「そういう晩《や》は、おしゃべりがにぎやかで、聞いてると眠れやしないのよ」ここで夫人は話を止めて、居間の窓を額縁にしたような松の木を見た。「こういうところへ主人のお供で来たけれども、あんまり静かで眠れないことがあるわ」

またある日、夫人は鶏《とり》の下ごしらえをしていて、ぼつぼつした黄色っぽい皮を引きはがし、腿《もも》の先で足を切り落とした。刃物にかかって骨が断たれるにつれ、金色の腕輪がこすれ合い、手首から上が紅潮して、ふんと吐く鼻息がエリオットにも聞こえるようだった。と、あるところで動きが止まった。鶏を両手にはさみつけ、窓の外を見据える。脂身《あぶらみ》と筋が指にくっついていた。

「ねえ、いま胸が張り裂けそうに叫んだら、誰か来てくれるかしら」

「あの、どうかしたんですか」

「べつに。どうかしらと思うだけ」

エリオットは肩をすくめた。「来るんじゃないかな」

「うちのほうではね、それだけでいいの。電話なんてあるとはかぎらないもの。ちょっと声をあげるなり、つらいとかうれしいとか口にするなり、それだけで近所の人がぱあっと集まって、少しくらい離れてたって飛んできて、聞きたがってくれるのよ。あとのことも考えてくれる」

すでにエリオットも、セン夫人のいう「うち」とはインドのことであって、坐って野菜を切っているアパートではないことを心得ていた。そして自分の「うち」を考えた。距離でいえば八キロしかない。夕日の海岸をジョギングする若夫婦が、こっちに手を振ってくれることもある。

あの夫婦は労働の日《レーバー・デー》にパーティーをしていた。デッキに人があふれ、食べたり飲んだりして、その笑い声が疲れた吐息のような波音よりもよく聞こえた。エリオット母子は招かれていなかった。めずらしく母が休みをとれた日だったのに、どこへも行かなかった。母は洗濯をし、小切手帳の勘定を合わせ、エリオットに手伝わせて車の中に掃除機をかけた。

エリオットは洗車場へ行こうと言っていた。さほど遠くはない。行きつけといってもいい。車内に坐ったまま濡《ぬ》れる心配もなく洗車機をくぐって、石鹸水《せっけんすい》や、お化けリボンのようなキャンバス地が、フロントガラスにたたきつけるのを見ていられる。だが、きょうは母がくたびれているからといって、車にホースで水をかけただけだった。

日が落ちて、隣のデッキでダンスが始まってしまうと、母は電話帳を調べ、もう少し静かにしてほしいと電話を入れた。

「電話なら来るかもしれない」と、ようやくエリオットがセン夫人に答えを言った。「でも、苦情だったりしてね。うるさいっていう電話」

ソファに坐るエリオットの位置から、虫よけ玉とクミンの香りが奇妙にまじって鼻先に感じられた。夫人の編んだ髪はぴったり真ん中で分けられ、まぶしたような朱色がついているから、分け目が赤らんだようにも見えた。

頭皮に傷でもできたのか、それとも虫さされのようなものかと思っていたら、ある日、夫人がバスルームの鏡の前に立ち、画鋲《がびょう》の頭でおごそかに色をつけているのを見た。ジャムの小瓶に入れた深紅の粉で塗りなおしているのだった。おでこに赤丸を押すときに、粉が鼻筋にも落ちかかった。「これを毎日やらないとだめなのよ」知りたがるエリオットに夫人は言った。「結婚しているかぎり一生やるの」

「指輪みたいなんだね」

「そのとおり。ほんとに結婚指輪みたいなものね。お皿を洗ってもなくす心配はないけれど」

エリオットの母が迎えに来る六時二十分までに、セン夫人は野菜切りの現場を跡形もなく消すことにしていた。刃物はしっかりと汚れを落とし、洗って、水気をとって、折りたたんで、脚立《きゃたつ》に乗って戸棚の上のほうへしまい込んだ。エリオットも手伝って、新聞紙を捨てるついでに、皮や種を包み込んで、くしゃくしゃに丸めた。

満杯のボウルと水切りがカウンターにずらりと整列し、スパイスとペーストが量をはかって混ぜ合わされ、ついには各種のカレーが青紫の炎の上でぐつぐつと煮えていった。とくに変わった日でもなく、来客があるわけでもない。これがセン夫妻の夕食になることは、皿とグラスが二人分しか出されないのを見てもわかる。ナプキンや銀器を持ち出すまでもなく、居間の壁に寄せた四角い合成樹脂のテーブルに支度するのだった。

新聞紙をゴミ箱にぎゅうぎゅう押し込んでいると、エリオットは夫人といっしょになって、はっきりとは言えない規則違反のようなことをやらかしている気持ちになった。たぶん夫人があわただしいくらいに立ち働いたせいだろう。塩と砂糖をつまんで、豆を水ですすいで、どこもかしこも拭《ふ》き清めて、ぱたんぱたんと食器棚の戸を閉めた。

　そうこうするうちにエリオットは、いきなり母の姿を目にして、びくっと驚いたものだった。透けるようなストッキングをはいて、肩パッドのある通勤用スーツを着て、夫人のアパートにくまなく視線を配るのだ。なかなか戸口から入ろうとはせず、スニーカーをはいて持ち物をまとめなさいとエリオットに声をかけるのだが、それだけで終わらせるセン夫人ではなかった。とにかくソファに坐らせて食べるものを出す。バラのシロップをかけた明るいピンク色のヨーグルト、レーズン入りのメンチコロッケ、セモリナ小麦のお菓子。

「おかまいなく、センさん。わたしランチが遅いんですよ。ご面倒おかけしてもいけませんし」

「とんでもない。エリオットと同じで、ちっとも面倒なことありませんよ」

　セン夫人特製の味をこわごわ賞味する母は、上目遣いの思案顔になっていた。きちっと膝をそろえ、脱ごうとしないハイヒールが梨色《なしいろ》のカーペットに食い込んでいた。

「おいしいですね」と最後には言って、一口か二口しか食べなかった皿を下に置く。

　それが方便であるのをエリオットは知っていた。車の中ではっきり聞いたこともあるのだ。勤め先でランチをとっていないのも知っていた。海岸の家に帰り着くと、まず母は、グラスにワインをついで、パンとチーズを食べ、つい食べすぎてしまって、お定まりの夕食になる宅配ピザに食欲がわかないこともあった。エリオットが食べているそばで、またワインを飲み、きょうはどんなだったかと尋ね、結局はタバコを一服したくてデッキへ出るから、エリオットが残ったピザを包んでおくことになるのだった。

毎日、午後になると、セン夫人は街道脇《わき》の小さい松林に立っていた。エリオットおよび近くに住む二、三の子供が、そこでスクールバスを降ろされる。まるで何年かぶりに会う人を出迎えるように、いまかいまかと待っていたような感じをエリオットは受けた。髪の毛の横っちょが風になびいていた。分け目の朱色が新しい。顔のわりに大きな紺色のサングラスをかけ、いつも前日とは模様の違うサリーが、チェックのオールウェザーコートの下ではためいていた。

ドングリと毛虫がアスファルトの環状通路に点在し、その道に囲まれてレンガづくりの十数棟が建っていた。そっくり同じ設計で、木《こ》っ端《ぱ》を敷きつめた区画内に埋め込まれたようである。バス停からの道で、夫人はポケットからサンドイッチ袋を取り出し、皮をむいたオレンジや、殻をとって軽く塩を振ったピーナツをくれるのだった。

帰るなりすぐに自家用車に向かった。センン夫人が二十分ほど運転の練習をする。バターキャンディーのような色をしたセダンで、シートはビニール張りだ。クロームメッキのボタンのついたAMラジオ。後部席のうしろ棚にはクリネックスの箱と窓の霜取り道具。

エリオットを一人でアパートに置いておくわけにいかないと夫人は言うのだったが、じつは夫人のほうこそ一人ではこわいので、エリオットを助手席に乗せていたいらしかった。なにしろイグニションの音だけでも恐々として、耳を手でふさいでしまい、そうやってスリッパの足でアクセルを踏みつけ、エンジンをふかすのだ。

「免許をとってしまえば、いいことがいっぱいあるって言われるんだけど、どうかしらねえ。そう思う？」

「いろんなとこへ行けるんじゃないかな」と、エリオットは答えた。「どこだって行ける」

「じゃあ、カルカッタまで乗っていけるかしら。どのくらいかかるの？　六千キロを時速八十キロでよね」

その暗算ができないままエリオットは、運転席とバックミラーの位置を直してサングラスを頭にかけるセン夫人を見ていた。夫人が選局するラジオからは交響曲が流れた。「これ、ベートーベン?」と言ったこともあるが、何だか「ビートーベン」のように聞こえた。ガラス窓を下げて、そっちも下げてくれないかとエリオットに言う。ようやくブレーキに足をかけると、オートマチックのギアを、まるでインク漏れのする巨大なペンを扱うように動かして、そろりそろりと駐車スペースを出た。まず団地を一回りして、もう一回まわる。

「こんなもんでどうかしら。パスすると思う?」

だが、何かというと、ほかに気を取られていた。ラジオに耳が行ったり、ちょっとでも落ちているものがあれば目が行ったりして、いきなり急停止することがあった。歩行者がいれば手を振った。数メートル前方に小鳥がいれば、人差し指でクラクションを鳴らし、飛び去るのを待った。

インドではね、運転席は左じゃなくて右なのよ、と言った。のっそりしたスピードで、ブランコと、洗濯場と、ダークグリーンのゴミ箱と、停まっている車の列を通過した。松林のところでアスファルトの環状通路が本道に接する地点にさしかかるたびに、夫人は思いきりブレーキに体重をかけて、走り抜ける車をやり過ごした。べっとりと黄色い線が引かれた片側一車線の狭い道だった。

「だめだわ、エリオット。どうやったら合流できるんでしょ」

「ほかの車が来ないときじゃないと」

「スピード落としてくれたってよさそうなもんだわ」

「いま、大丈夫みたいだ」

「だって、ほら、あの右から来てる車。そのうしろにトラックでしょ。それに、ほんとうは単独で一般道へ出ちゃいけないんだもの」

「曲がったら、すぐ加速するんだよ」エリオットは言った。そのように母はやっている。母の運転で、夕方の道を海岸の家へ帰るときは、いかにも簡単なことに思われた。道は道でしかないし、ほかの車は風景の一部でしかない。でも、暖かみのない秋の木《こ》洩《も》れ日のなか、セン夫人の横で助手席にいると、まったく同じ車の流れが、夫人にとっては、握った手まで青ざめ、手首が震え、英語がおかしくなるほどのものであるようだ。

「ここの人、みんな、自分だけ世界にいる」

　セン夫人の喜ぶことが二つある、とエリオットにもわかってきた。一つは家族から手紙が来ることだ。運転の練習をしたあとで郵便受けをのぞく習慣ができていた。その鍵《かぎ》をはずし、要領を教えながらエリオットに中のものを取らせる。自分では目をつむり、手で目隠しまでしてしまうから、エリオットが請求書やら雑誌やら夫人の名前で来るものを見ていくのだった。

そこまで不安になるというのが、初めのうちは考えられなかった。母は郵便局に私書箱を持っていて、受け取りには無精ばかりしているから、電気が三日も来なくなったことさえある。

やっと何週間かたってから青い航空書簡がセン夫人の家に届いた。ざらっとした手触りで、ハゲ頭の人が糸車をまわす図柄の切手がべた貼《は》られ、消印で真っ黒になっていた。

「これですか？」

このとき初めて夫人がエリオットを抱きしめた。彼の顔をサリーにくっつけて、虫よけ玉とクミンの香りで押しつつんだ。手紙をひったくるように受け取る。

アパートに入るなり、夫人はスリッパをぽいぽいと脱ぎ飛ばし、髪にさしていたピンを抜いて、航空書簡の三辺を三度の動きで切り裂いた。読んでいる目がすばやく往復する。最後までいったとたんに、刺繍《ししゅう》の電話カバーをはねのけて、ダイヤルをして、

「あの、センの家内ですが、いま主人そちらですか？　大事なことなんです」

ややあって夫人は自国の言葉でしゃべりだした。すごい勢いでぺちゃくちゃ話しているようにエリオットの耳には聞こえた。手紙の内容を一字一句まで正確に読んでいるらしいのはわかった。だんだんと声が大きくなり、キーがずれていった。たしかに目の前に立っている人なのに、この梨色のカーペットの部屋からどこかへ行ってしまっているような感覚がエリオットにはあった。

このあと、夫人はいても立ってもいられず、無性に外へ出たくなった。エリオットと二人で本道を渡り、いくらか歩きではあったが大学の中庭まで行った。石の鐘楼があって毎時の鐘が鳴るところだ。そこから学生会館へ入っていって、カフェテリアのカウンターにトレーをすべらせ、おしゃべりに興じる学生にまじって、ボール紙の舟形に山盛りのフレンチフライを丸テーブルで食べた。エリオットは紙コップのソーダを飲み、セン夫人はティーバッグを湯にひたし、砂糖とクリームを入れた。

食べ終えると、まず美術科の建物をぶらついて、乾ききらない絵の具や粘土の匂《にお》いが立ちこめるひんやりした廊下で、彫刻やシルクスクリーンをながめた。それから数学科を通りすぎた。ここでセン氏は教壇に立っている。

最後に行ったのは、塩素の臭《にお》いがただよう騒がしい体育科の一角だった。四階の大きな窓から水泳プールが見えた。きらめくトルコ石の色をした水を切って、プールの端から端まで泳ぐ人たちがいた。

　夫人はハンドバッグに入れてきたインドの航空書簡を取り出し、その表を、裏を、とくと見た。折り目を広げて、ときどきため息をつきながら、噛《か》みしめるように読み返す。読んでしまうと目を上げて、泳ぐ人たちを長いこと見つめていた。

「姉のところで女の赤ちゃんが生まれたのよ。うちの人が大学の任期を確保できるかにもよるけど、やっと会えるころには、三つになっちゃってるわ。叔母さんといったって他人よね。電車に乗り合わせても、わからないんだわ」

　夫人は手紙をしまい、エリオットの頭に手をおいた。「ねえ、こうして午後はわたしと過ごして、おかあさんが恋しくない？」

　そんなふうには考えたこともなかった。

「そうなんでしょ。あなたのこと思うとね、まだ小さいのに、おかあさんとの時間がとれないんだもの、これでいいのかしらなんて」

「夜には会ってるよ」

「わたしがあなたくらいの歳《とし》には、母とこんなに遠く離れるなんて、思いもよらなかった。あなたのほうが知恵がついてるわね。そういうもんだっていう思いを、もう味わってるんだから」

もう一つ、セン夫人が喜んだものは、海から揚がる魚だった。いつも丸ごと一匹欲しがる。エビやカニではない。いつかの晩、母が職場の男の人を夕食に招いたときに焼いたような切り身の魚でもない。その男は母の寝室に泊まっていったが、それっきり姿を見せなかった。

ある日、夕方迎えに来た母に、セン夫人はツナコロッケを振る舞い、ほんとうはベトゥキという魚でつくるものなのだと言った。「ほんとに、くやしーいです」と、少々おかしな語気になって弁解した。「こんなに海に近いのに、あんまり手に入らない」

夏には海辺の魚屋へ出かけていたのだという。味ではインドの魚におよぶべくもないが、一応、新鮮ではある。これからの寒くなる季節には、漁に出る船もまばらになるから、丸のままの魚は何週間か買えないこともある。

「スーパーマーケットへ行ってみたら？」と、エリオットの母が言った。

夫人は首を振った。「スーパーマーケットはだめ。猫の餌《えさ》なら三十二種類できます。缶詰が三十二あるから。だけど、いい魚はあったことない。一回も」

日に二度は魚を食べて育ったのだという。カルカッタでは、朝起きてまず魚、寝る前にも魚、運がよければ学校から帰っておやつに魚。尻尾《しっぽ》も卵も頭さえも残さない。どこの魚屋へいつ行ってもいい。夜明けから真夜中まで買える。「うちを出て、ちょっと歩くだけ。それでいいの」

何日かおきに夫人はイエローページを開き、あらかじめ余白にチェックしてある番号に電話をかけては、丸ごとの魚があるかどうか問い合わせるのだった。あれば予約扱いにしてくれと頼んだ。「センです。サムのSに、ニューヨークのN。あとで主人が取りに行きます」

それから大学にいるセン氏に電話する。数分後に氏があらわれる。エリオットの頭に手をあてるが、妻にキスすることはない。フォーマイカのテーブルで郵便物に目を通し、お茶を一杯飲んでから出かけていく。三十分ばかりで帰ってきて、笑顔のエビがイラストになっている紙袋を夫人に渡すと、夕方の授業のため大学にもどった。

ある日、紙袋を渡すときに、「しばらく魚はなしだよ。冷凍庫のチキンで間に合わせてくれ。そろそろ勤務時間を厳守しないと」

そこで数日は魚屋へ電話することもなく、セン夫人はキッチンの流しで鶏《とり》の腿《もも》を解凍し、例の刃物で断ち切った。サヤ豆と缶詰のイワシで煮込みをつくった日もある。ところが翌週、魚屋の男から電話があった。奥さんの欲しがりそうな魚が入っているから、きょういっぱい押さえておいてもよいという。

夫人はすっかり気をよくした。「親切なことじゃないの。うちの番号を電話帳で調べてくれたんだって。センていう名前はほかにないって。カルカッタの電話帳なら何人載ってると思う？」

靴をはいてジャケットを着なさいとエリオットに言うと、夫人は大学にいる夫へ電話をかけた。エリオットが本箱のそばでスニーカーの紐《ひも》を結び、あとから来るセン夫人がスリッパのどれかを選ぶのだろうと思っていたら、いつまで待っても来ないので声をかけた。返事がない。またスニーカーの紐をほどき、居間へもどってみた。

夫人がソファで泣いていた。顔を手でおおって、指のあいだから涙がこぼれている。涙声で言うのを聞けば、セン氏は会議に出なければならないということらしい。ゆっくりと立ち上がった夫人が、電話の布カバーをかけ直した。エリオットもそっちへ行った。スニーカーで梨色《なしいろ》のカーペットの上を歩くのは初めてだ。夫人がエリオットを見つめた。泣きはらした下まぶたに、赤みを帯びた細いふくらみができている。

「ねえ、エリオット、これって甘えすぎかしら」

どうとも言えないうちに、夫人はエリオットの手をとって寝室へ連れていった。いつもならドアが閉まっている部屋だ。ベッドそのものにも枕元《まくらもと》に立つはずの板がないが、そのほかの調度にしても、電話をのせたサイドテーブル、アイロン台、ドレッサーしかなかった。

夫人はドレッサーの引き出しを、クロゼットのドアを、思いきりよく開けた。ありとあらゆる素材と色合いの、金糸銀糸を織り込んだサリーがあった。透き通ったティッシュペーパーのように薄いものも、カーテンのような厚地で裾《すそ》まわりに房を飾ったものもある。クロゼットではハンガーに掛けられ、引き出しでは折りたたまれるか、きっちり巻物のように丸められていた。

夫人は引き出しをかきまわし、その手前にサリーを垂らしていった。「これを着たことがいつあった？　こっちは？　これは？」そうやって一着ずつ引き出しから放り投げ、ハンガーからも何着かはぎ取った。それが乱れたシーツのようにベッドに重なる。虫よけ玉のきつい匂いが室内にあふれた。

「写真を送って、なんていう手紙が来る。アメリカ生活の写真、だってさ。どんなのが送れるのよ」ろくに坐《すわ》るところもなくなったベッドに、へたり込んだ。「女王様みたいな暮らしだと思われてるの」と殺風景な壁を見まわす。「ボタンを押せば掃除が完了とか、お城みたいなとこに住んでるとか」

電話が鳴った。セン夫人は何度か鳴るまで放っておいて、ベッド脇《わき》の子機をとった。

電話中、夫人は返事をするだけで、そのへんのサリーの端で顔をぬぐっていた。やっと話が終わると、サリーをたたみもせず引き出しに突っ込んで、靴を履き、車のところへ行った。ここでセン氏と待ちあわせたのだ。

「きょうは、きみが運転したらいい」やって来たセン氏がボンネットにこんこんと拳《げん》骨《こつ》をあてた。エリオットがいるときは二人とも英語で話す。

「きょうはだめ。またにしましょう」

「ほかの車がいる道をいやがってたんじゃあ、合格はおぼつかないぞ」

「きょうはエリオットがいるから」

「いつだっているじゃないか。きみのためを思って言ってるのに。なあ、エリオット、そう言ってやってくれよ」

夫人は、いやだと言った。

車の中で三人とも黙っていた。いつも夜になってから母の運転で海岸の家へ帰っていく道だ。でもセン夫妻の車の後部席にいると、どうも様子が違って、道のりも長いような気がした。朝、眠たい目を覚まさせられるカモメの声はうっとうしいが、いまは空をひょいひょい飛ぶさまがすごくおもしろかった。海辺から海辺へ、また夏にはフローズンレモネードや貝の売店になるがとうに閉鎖されている小屋を越えて、カモメは飛んでいた。ただ一軒だけ営業しているのが魚屋だった。

　セン夫人は助手席側のドアを開けて、夫に顔を向けた。セン氏はシートベルトを外してもいない。

「あなたも来るの？」

　セン氏は財布から紙幣を何枚か夫人に渡した。「あと二十分で会議なんだ」と言いながら、目はダッシュボードから動かない。「早くしてくれ」

　エリオットは夫人にくっついて魚屋へ入った。じっとりした小さな店だ。網やヒトデやブイが壁の飾りになっている。首からカメラを提げた観光客がカウンターに群がって、貝の詰めものの試食をしたり、北大西洋の魚類五十種という大きな図表を指さしたりしていた。

　セン夫人はカウンターの発券機からチケットを一枚とって列にならんだ。エリオットはエビのそばにいた。黄色い輪ゴムで爪《つめ》を縛られたエビが、濁った水槽の中でもぞもぞ重なり合っている。順番の来たセン夫人は、てかてかした赤ら顔で、歯が黄色く、黒いゴムエプロンをつけた男と、笑いながらしゃべっていた。男は左右の手でそれぞれサバの尻尾をつかんでいる。

「ちゃんと生きのいいのを売ってるんでしょうね」

「これ以上生きがよかったら、魚が口きいて答えるよ」

目盛りが震えて、秤量《ひょうりょう》が定まった。

「腸《わた》はとっときましょうか」

セン夫人がうなずいた。「頭は残しといて」

「猫でも飼ってる？」

「猫はいないわ。夫だけ」

アパートへ帰ったあと、夫人は戸棚から例の刃物を出して、カーペットに新聞紙を広げ、宝物を検分した。一匹ずつ包み紙をはがす。血を吸ったくしゃくしゃの紙だ。魚の尾をなで、腹を突ついて、内臓を失った身を押し広げた。ハサミで鰭《ひれ》を切る。指一本で鰓《えら》をこじあけると、なかの赤い色が鮮やかで、夫人の朱色がくすんで見えた。インクで縞目《しまめ》をつけたような胴体の両端をつかんで、一定間隔で刃物をあてた。

「どうしてそんなことするの」エリオットが言った。

「切身が何枚とれるか目印にするの。うまく切ったら、この魚で三度の食事ができる」夫人は魚の頭を落として、パイ皿に置いた。

十一月になると、セン夫人が運転の練習をしたがらない日が続くようになった。刃物が戸棚から出されることも、新聞紙がフロアに敷かれることもなかった。魚屋へ電話もしないし、鶏肉の解凍もしない。何とも言わずにクラッカーにピーナツバターをつけたものをエリオットのおやつにして、あとは靴箱に入れてある古い航空書簡を読んで坐っているだけだった。エリオットが帰る時間になれば持ち物をまとめてやった。エリオットの母にゆっくりしていくようにと食べるものを出すこともなくなった。

とうとう、このごろセンさんの様子が変わったのではないかと車中で母が言ったが、エリオットはわからないと答えた。夫人がアパート内をうろついて、ビニールのかかったランプシェードに、まるで見たこともないものを見るような目を向けている、などとは言わなかった。テレビをつけるくせに見ていないことも、お茶を淹《い》れておきながらコーヒーテーブルの上で冷めるままにしていることも言わなかった。

ある日、夫人はラーガとかいう音楽のテープをかけた。たとえばヴァイオリンの弦を、ごくゆっくり、それからごく早く、はじいて鳴らすように聞こえた。これは夕方近くの、日が沈むころだけに聞くべき音楽なのだと夫人は言った。音楽は一時間ほども流れていたが、夫人はソファに坐ったきり目を閉じていた。そのうちに口を開いて、
「ベートーベンなんかより悲しいわよね」

またある日には、大勢の人がインドの言葉でしゃべっているカセットをかけた。家

族がお別れの記念にくれたのだそうだ。入れ替わり立ち替わり、一言ずつ笑って言うたびに、これは誰々であると夫人が解説した。「三番目の叔父、いとこ、父、祖父……」歌う人がいれば、詩の朗読をする人もいた。最後に登場した声は、夫人の母だった。ほかの人より穏やかでまじめな口調になっていた。一つの文が終わるごとに小休止があった。そういう合間にセン夫人は英語に直してエリオットに聞かせた。「ヤギの肉が二ルピー値上がりした。市場のマンゴーは甘味がない。カレッジ・ストリートに水があふれた」ここで夫人はテープを止めて、「わたしがインドを発《た》った日のことよ」

翌日、夫人は同じテープを最初からかけた。今度は祖父が語っているところで止めた。じつは週末に手紙が来たのだという。祖父が死んだ、と。

一週間して、夫人はまた料理を始めた。居間のフロアでキャベツを切っていたある日、セン氏から電話がかかった。夫人とエリオットを連れて海へ行きたいという。そこで夫人は赤いサリーをまとい、赤い口紅をつけて、髪の分け目に色粉を足して、その髪を編み直しもした。スカーフを顎《あご》の下で結び、サングラスを頭にのせて、ハンドバッグにポケットカメラを入れていた。

駐車場をバックで出るセン氏が腕を助手席の背にかけたので、夫人に腕をまわしたように見えた。「そのスプリングコートじゃあ寒くなってきたろう」あるところでセン氏が言った。「もっと暖かいものを買わないとな」

店についていて、サバとバターフィッシュとシーバスを買った。このときはセン氏も店内についてきた。鮮度はどうか、これこれのように切ってくれ、と言ったのはセン氏だった。たくさん買ったのでエリオットも袋を一つ持たされた。

車のトランクに積み込んでしまってから、腹が減ったなとセン氏が言い、そうだわねと夫人も言った。それで道路を渡って、とあるレストランへ行った。テークアウトの窓口がまだ営業していた。貝のスナックのバスケットを二つ買って、屋外テーブルで食べた。夫人はタバスコとブラックペッパーをたっぷりかけた。「天ぷら《パコラ》みたい、ね？」顔が明るく染まって唇の色もかすむほどで、セン氏の言うことにいちいち笑い声をあげていた。

レストランの裏手が小さい浜になっていた。食べ終えてから少し海辺の散歩をした。向かい風が強いので、仕方なしに後ろ向きで歩いた。セン夫人は波を指さし、一回寄せるごとのある瞬間に、物干しロープにかけたサリーのように見えると言った。「嘘《うそ》みたい！」と最後に大きく叫んで、笑いながら振り向いた目には、涙がにじんでいた。

「もう進めないわ」

そこで夫人はエリオットとセン氏の写真を撮った。「じゃ、今度はわたしたち」と、エリオットをチェックのコートに押しつけ、カメラをセン氏に持たせた。さらに次はエリオットが撮る番になった。「しっかりかまえて」とセン氏が言った。ファインダーをのぞいたエリオットは、夫妻がもっと寄ってくれないかと待ったのだが、そうはならなかった。手も握らないし、腰に手をまわすのでもない。どちらも口を結んだままの笑顔で、風に目を細めている。夫人の赤いサリーが、コートの下で火炎のようにはためいた。

車の中、ようやく暖まり、風にあたったのと食べたのとでぐったり坐りこんで、三人は外の景色を楽しんだ。砂丘、遠くに見える船、灯台のある風景、桃色に紫色の空。しばらくしてセン氏がスピードをゆるめ、路肩に停止した。

「どうかしたの?」夫人が言った。

「きょうは、きみの運転で帰ろう」

「きょうはだめ」

「いや、やるんだ」セン氏はいったん降りて、助手席側のドアを開けた。きびしい風が吹き込み、波の砕ける音もした。とうとう夫人は運転席へと横滑りしたが、サリーやサングラスの具合を長いこと気にしていた。エリオットはうしろの窓を振り返った。道路には誰もいない。夫人がラジオをつけたので、車内にヴァイオリンの音があふれた。

「いらないだろう」セン氏がラジオを切った。

「あったほうが集中できる」夫人がつけ直した。

「方向指示を出せよ」

「わかってる」

走りだして一マイルくらいは、のろのろして追い抜かされたとはいえ、どうにか無事にすんだ。しかし、町に近づいて、信号が遠くの架線に姿を見せはじめると、夫人はさらに速度を落とした。

「車線変更」とセン氏が言った。「ロータリーで左だからな」

夫人は車線を変えなかった。

「変更だってば」セン氏はラジオを切った。「おい、聞いてるのか」

クラクションを鳴らす車があった。ほかの一台も鳴らした。夫人も応戦するように鳴らすと止まってしまい、それから合図も出さずに路肩へ寄せた。「もういい」と、ハンドルに頭をつけて突っ伏してしまう。「いやよ。運転なんていや。もうしない」

それからは車の練習をしなかった。また魚屋から電話があったが、今度は研究室のセン氏に電話をしなかった。何か別のことをする気になっていた。

大学と海辺を往復するバスが、一時間に一本走っていた。途中に停留所が二つある。まずは老人ホームの前、その次が名前もついていないショッピングプラザ前で、本屋、靴屋、ドラッグストア、ペットショップ、レコード店が一軒ずつあった。屋根のある入口のポーチで、老人ホームから来たらしい女たちが、二人ずつ組になってベンチに腰かけていた。とんでもなく大きなボタンをつけた膝丈《ひざたけ》のオーバーを着て、薬用のドロップを口に入れている。

「ねえ、エリオット」バスの座席で夫人が言った。「あなた、おかあさんが年とったら、老人ホームへ入れる?」

「かもね。——毎日面会に行くけどね」

「いまはそう言うのよ。でもね、おとなになったら、まるで思いもよらないところに住んでたりするものなの」夫人は指を折って数えた。「奥さんがいて、子供が生まれていて、みんな連れてってほしいところがあるの。そのうちにね、どんな優しい家族だって、やっぱりホームへは行きたくないなんて言い出すわ。あなただって面倒になる。一日行きそびれ、また一日行きそびれ、おかあさんもドロップが買いたくなれば、よっこらしょとバスに乗るようになるんだわ」

魚屋の水を敷いた台にはほとんど魚は見あたらなかった。エビの水槽も似たようなもので、錆色《さびいろ》の染《し》みが水底に見えていた。月末には店を閉めるという表示があった。冬季は休業なのだ。カウンターには若い店番が一人しかいなくて、予約した袋を渡しながらも、セン夫人の顔はわかっていないようだった。

「腸《わた》と鱗《うろこ》はとってある?」セン夫人が言った。

若い男は肩をすくめた。「ここの親父《おやじ》さん、きょうはもう引き揚げちゃってさ。これ渡せって言われただけなんだよね」

駐車場へ出て、夫人がバスの時刻表を見ると、あと四十五分は来そうにないので、通りを渡ってテークアウト窓口で貝のスナックを買った。だが坐《すわ》る場所がなかった。屋外用のテーブルには、それぞれのベンチがさかさまに積み上げられ、チェーンで固定してあった。

帰りのバスで、ある老女が、セン夫人からエリオットへ、また二人の足の間にある血の滲《にじ》み出た袋へと、警戒の目を走らせていた。黒いオーバーを着て、色の抜けたようなぎすぎすした手で膝の上に押さえているのは、ドラッグストアの小ぎれいな白い袋だった。

ほかに乗客といえば、大学生らしいカップルだけだった。ペアルックのスウェットシャツを着て、指を絡《から》ませ、うしろの席にだらしなく坐っている。

エリオットとセン夫人は、まだ袋の中にあった貝のスナックを、黙って最後まで食べた。ナプキンをもらい忘れた夫人は、小麦粉の生地を口のまわりにくっつけていた。

老人ホーム前の停留所で、オーバーを着た老女は立ち上がり、運転手に何か言って、バスを降りていった。運転手は首をねじって、セン夫人を見やった。「中身は何です？」

夫人は、はっとして目を上げた。

「英語わかる？」バスがまた動きだし、運転手は大きなバックミラーで夫人とエリオットを見ることになった。

「わかりますよ」

「じゃあ、その袋、なに入ってんの？」

「魚」

「その臭《にお》いがね、ほかのお客さんの迷惑みたいだから。ちょっと、坊や、窓を開けてやるとか何とかしてよ」

何日かたった午後、電話が鳴った。極上のヒラメが水揚げされたらしい。奥さんも一匹どうです、というのだった。夫人はセン氏に電話したが、ちょうど机を離れていたようだ。二度、三度とかけてみたがつかまらない。やむなく夫人はキッチンへ行き、居間へもどったときには、あの刃物とナスと新聞紙を持っていた。

エリオットは、言われなくてもソファの定位置につき、夫人がナスのへたを落とすのを見ていた。細長く切ったのが角切りになり、もっと小さく、角砂糖くらいの賽《さい》の目になった。

「おいしい煮込みにするわよ。魚と青いバナナを入れて。――もっとも、青いバナナがないんだわ」

「魚は買いに行くの？」

「買いに行くわよ」

「迎えに来てもらって？」

「靴、はきなさい」

後片づけもしないでアパートを出た。外の寒さにエリオットは歯までかじかむ思いがした。車に乗った。セン夫人はアスファルトの環状通路を何度かまわった。一回ごとに松林で停まって、本道の流れを見た。セン氏が来るまで練習するつもりなのだろう、とエリオットは思った。だが、夫人は合図を出して乗り入れた。

すぐに事故は起きた。一マイルほど先で左折をあせって飛び出したのだ。対向車はどうにかよけてくれたが、そのクラクションに泡を食った夫人がハンドル操作をあやまり、角の電柱にぶつけてしまった。

警官が来て、免許を見せろと言ったが、もともと持っていないのだ。「主人は大学で数学を教えてます」というのだけが、供述らしきものだった。

損害は軽かった。夫人が唇を切って、エリオットは脇腹《わきばら》の痛みを少々訴えた程度だった。車のフェンダーが曲がったのは修理しないとだめだろう。警官は夫人が頭に裂傷を受けたと思ったらしいが、あの朱色を見間違えただけである。

セン氏は同僚の車に乗せてきてもらったが、書類に書き込みながら警官とずいぶん話をしたものの、アパートまで運転して帰る途中、夫人には口をきかなかった。車を降りると、セン氏はエリオットの頭に手をやって、「運がよかったってさ。かすり傷一つないんだから」

スリッパを脱いで本箱にのせると、夫人は居間に出しっ放しだった刃物をしまい、賽の目のナスと新聞紙をゴミ箱に捨てた。クラッカーにピーナツバターをつけて、その皿をコーヒーテーブルにのせ、テレビをつけてエリオットに見せた。「まだお腹《なか》すいてるみたいだったら、冷凍庫にアイスキャンディーの箱があるから、一つあげて」と、フォーマイカのテーブルで郵便物を見ているセン氏に言うと、夫人は寝室へ行ってドアを閉めた。

六時十五分前にやって来たエリオットの母に、セン氏は事故の詳細を知らせて、十一月分の保育料を払い戻したいと言った。その小切手を切りながら、夫人になりかわって詫《わ》びた。エリオットはトイレに立ったとき夫人の泣き声を聞いていたが、セン氏は妻は休んでいると言った。

その条件でエリオットの母も承知した。じつは、ほっとしたようなところもあるのよ、と帰りの車の中でエリオットに言った。この日からエリオットがセン夫人の家へ行くことはなかった。ベビーシッターに預けられること自体なくなった。これ以後は鍵《かぎ》を持たされ、紐《ひも》をつけて首から下げた。非常の際は、隣の家へ電話することにもなった。学校が終わったら、鍵をあけて海岸の家に入るのだ。

その初日に、上着を脱ごうとしていたら電話が鳴った。オフィスの母からだ。「もう大きいんだから、大丈夫よね」

エリオットはキッチンの窓から外を見た。引いていく灰色の波を見て、平気だよ、と言った。

神の恵みの家

This Blessed House

最初はレンジの上の食器棚で見つかった。未開栓のモルト酢のそばにあった。

「ほら、こんなのがあったわ」トゥィンクルが、テープで封じたままの引っ越し荷物が壁にびっしりならんだ居間へ、片手で酢の瓶を、もう一方の手で同じような大きさの白い陶製キリスト像を、振りかざすように持ってきた。

サンジーヴが顔を上げた。フロアに膝《ひざ》をついて、ポストイットを小さくちぎりながら、壁の裾板《すそいた》を塗り直すべき箇所に、目印をつけていたのだった。「捨てちゃえよ」

「どっちを？」

「どっちも」

「だって酢は料理に使えるわよ。新品みたいだし」

「酢の料理なんてつくったことないだろ」

「本に出てると思う。結婚のお祝いにもらった料理の本が、けっこうあるじゃない」

サンジーヴはまた作業にかかった。くっつけたはずのポストイットが一つはがれ落ちてしまった。「賞味期限、見とけよ。それから、そっちの阿呆《あほ》くさいのだけは捨ててくれ」

「あればどうにかなるかも。でしょ？」彼女は像をさかさまにして、凍りついたような細密な衣装の襞《ひだ》を、人差し指でなでた。「かわいい」

「うちはキリスト教じゃないぜ」このごろ、トウィンクルには当たり前のことを言って聞かせないとだめだ、とサンジーヴは思いはじめていた。きのうだって二人で整理箪笥《だんす》を運びながら、引きずったら寄せ木のフローリングに傷がつくだろう、と言わなければならなかった。

彼女は肩をすくめ、「まあ、そうだけどね。れっきとしたヒンドゥー教だけどね」と言うと、キリストの頭にちゅっとキスをして、埃《ほこり》を払わなければとサンジーヴが思っているマントルピースに像をのせた。

週末になっても、まだマントルピースの埃は払えないままだった。何やかやとキリスト教の道具類が出てくるものだから、その陳列棚にされていた。たとえば聖フランチェスコの四色刷3－Dポストカードというのがあった。薬棚の奥にテープで留めてあるのをトウィンクルが見つけた。木製の十字架キーホルダーは、トウィンクルの勉強部屋に棚を増設していたサンジーヴが素足で踏んづけた。お絵かきセットを完成させた東方の三博士は、黒いビロードを敷いた額に入れ、リネン用のクロゼットにしまわれていた。また三本足のタイルの鍋敷《なべし》きがあって、そこにはブロンドで髭《ひげ》のないキリストによる山上の垂訓の場面が描かれていた。これはダイニングルームに作りつけた食器棚の引き出しから見つかっている。

「ここに住んでた人って、宗教に目覚めちゃったタイプなのかしら」翌日、トウィンクルが、小さいプラスチック製ドームの置き場所を考えながら言った。ドームの中にはクリスマスの雪景色が見える。これはキッチンの流しパイプの裏にあった。

サンジーヴは本棚を整理して、マサチューセッツ工科大のテキストをアルファベット順にならべていた。もっとも、そんなものを参照したのは数年前のことだ。卒業後、ボストンからコネティカットへ移り、ハートフォード近くの会社に勤めた。重役クラスへの出世があるらしいとも聞いている。三十三歳にしてすでに専属の秘書を持ち、十何人かの部下がいて、知りたいことがあれば、すぐに調べてくれる。

だが、いまでも大学時代の本が部屋にあると、人生のなつかしい時期を思い出す。いつも夕方になれば、マサチューセッツ・アヴェニューの橋を渡って、チャールズ川の対岸にある行きつけのインド料理店でムガール風チキンを注文し、また寮へ帰っては課題の清書をしたものだ。

「それとも、これって改宗させる企《たくら》みだったりして」と、トウィンクルが考えをめぐらせた。

「じゃあ、きみの場合、してやられたんじゃないか」

これに知らん顔の彼女が小さなプラスチック製ドームを振ったので、飼《か》い葉桶《ばおけ》の上を雪がぐるぐる舞った。

彼はマントルピースにならんだ品物をながめた。よくもまあ、そろいもそろってトンチキな、と思う。どう見ても聖なる感じがしない。だいたい、いつもなら趣味がいいはずのトウィンクルのやつが、すっかりその気になっているのがわからない。

こういう品物に何か意味があるとトウィンクルは思うのだろうが、彼にとっては何もない。腹が立つだけだ。「不動産屋へ電話しよう。とんでもない忘れ物がありましたと言って、引き取ってもらったほうがいい」

「え、そんな」トウィンクルはうめいた。「こんなの捨てたら後味悪いわよ。前に住んでた人には大事だったはずでしょう。だから、何ていうか、冒瀆《ぼうとく》ってものじゃないかしら」

「そこまで後生大事にしてたのなら、あっちこっちに隠しておくわけがない。持っていけばよさそうなもんだ」

「きっとまだ出るわよ」トウィンクルの目は、壁紙もないオフホワイトの壁を、まるで埋め込まれた隠匿物《いんとくぶつ》があるとでもいうように、行きつ戻りつした。「どういうものが見つかると思う?」

だが、引っ越し荷物の梱包《こんぽう》をといて、冬服をハンガーに掛け、また新婚旅行先のジャイプールで買った象の行列の絹絵を掛けても、そんな作業中に何も見つからなかったのが、トウィンクルには拍子抜けだった。

ほとんど一週間たったある土曜日の午後に、やっと一つ出た。ずいぶん大きい水彩ポスターのキリストで、ピーナツの殻を半透明にしたような涙を流し、茨《いばら》の冠を見せつけるようにかぶっている。来客用ベッドルームのラジエーターに隠れて丸まっていた。サンジーヴは、てっきり窓のシェードかと思った。

「あら、これって、やっぱり掛けとかないとだめよ。すごい迫力」トウィンクルはシガレットに火をつけて、うまそうに吹かしだした。それを振りまわすから、階下のステレオが響かせているマーラーの第五交響曲の指揮棒になったように、シガレットはサンジーヴの頭上を旋回した。

「あのなあ、聖書の珍品ショーみたいなのが居間にできあがったのは、さしあたり我慢するとしても、これだけは……」と絵の中のピーナツ涙を指ではじくようにして、「この家に飾りたくない」

トウィンクルは彼を見つめ、ふうっと吐いた煙が二本の青い筋になって鼻の穴を出た。ゆっくりと絵を丸め、輪ゴムでとめた。ところどころ赤褐色に染めたくせ毛の髪をまとめるために、いつも輪ゴムを何本か手首に巻いている。「じゃあ、あたしの勉強部屋に掛けるわ。それだったら、あなた、見ないですむものね」

「引っ越し記念のパーティーはどうする？　来た人は家の中を見たがるぜ。会社の人間にも声をかけてあるんだからな」

彼女はあきれた目をしてみせた。サンジーヴは、いま第三楽章に入っている交響曲がクレッシェンドにかかっているのを聞いた。さあ、いよいよ、と言いたげなシンバルが脈を打っている。

「ドアの裏に掛ければいいんでしょ」彼女が言った。「部屋をのぞかれたって死角になるもの。それでいい？」

ポスターとシガレットを持って出ていく彼女を見送った。立っていたところに灰がぱらぱら落ちている。かがんで、つまみ上げ、そっと手のひらに受けた。やさしいアダージェットの第四楽章が始まった。朝食のとき読んだライナーノーツによると、マーラーはこの部分の原稿を送って、妻となる人にプロポーズしたという。たしかに第五には悲劇や苦闘の要素もあるが、根本的には愛と幸福の音楽なのだ、と書いてあった。

トイレの水音が聞こえた。「それからさあ」と、トウィンクルがどなった。「人にどう思われるか気になるなら、この音楽かけないほうがいいわよ。眠たくなるもの」

手のひらの灰を捨てようとバスルームへ行ったら、流れきらない吸い殻が浮いていた。まだ水がたまっていく途中なので、いくらか待ってから、あらためて流した。

薬品棚の鏡に映る長い睫毛《まつげ》を見た。――女の子みたい、とトウィンクルにからかわれている。体つきは男の平均だろうが、頬がぽっちゃりした感じだ。そんなこんなで精悍《せいかん》な風貌《ふうぼう》になりそこねているのではないかと思う。

身長も並みだ。伸びが止まってからというもの、せめてあと二、三センチ欲しいと思い続けてきた。だからトウィンクルがハイヒールを履きたがるのが苦々しいのである。いつかの晩、マンハッタンで食事をしたときもそうだった。この家へ引っ越した最初の週末で、すでにマントルピースは満杯に近くなっていたから、行きの車の中でも口喧嘩《くちげんか》があった。

だがトウィンクルは、アルファベット・シティーのバーでウィスキーを四杯飲んだあとは、酔った勢いでけろっと忘れてしまった。セント・マークス・プレースのちっぽけな本屋へ彼を引っぱっていき、小一時間は拾い読みしたあげく、やっと出てからは、人目のある歩道でタンゴを踊ろうといってきかなかった。

そのあとで、彼の腕に寄りかかってふらふら歩いたのだが、スエードのレパード柄パンプスに八センチも高さがあるものだから、彼の視界にかぶさりそうになっていた。そうやってワシントン・スクエアの駐車ビルまで、何ブロックとも知れない距離を歩いた。うっかりマンハッタンに停めたら車がどうなるかわからない、という話をさんざん聞かされていたのである。

「だって、あたしはさ、一日じゅう机に向かってるんだから」と、帰りの車中で彼女は拗《す》ねた。その靴は履き心地がよくなさそうだから、やめたほうがいいんじゃないか、と言った彼への答えだった。「タイプを打ちながらヒールなんて履いてられないじゃない」

それ以上は反論をしなかったが、一日たっぷり机の仕事をしているわけではないことを、ちゃんと彼は知っていた。なにしろ、この日の午後のこと、ジョギングして帰ってみれば、どういうわけか彼女はベッドで本を読んでいた。なぜ昼間からベッドにいるのかと尋ねたら、いやになっちゃったのよ、と言う。だったら荷箱を開けたらどうなのだ、と口に出かかった。屋根裏の掃除をしてもいい。バスルームの窓枠をちょいと塗り直したっていい。塗ってから、まだ時計を置いたりしないで、と言えばいい。

だが、彼女は無頓着《むとんちゃく》だ。いいかげんな未整理状態でもかまわない。衣服はクロゼットの手前にあるもので間に合わせ、たまたま手近にある雑誌を読んで、たまたまラジオでかかっている音楽を聴けばいい。——それでいて、こだわりもある。いまのこだわりは、今度はどんな宝が見つかるか、ということ。

数日後、サンジーヴがオフィスから帰ると、トウィンクルは電話をかけていた。シガレットを吸いながら、まだ五時前で長距離通話の料金がかさむ時間帯だというのに、カリフォルニアの友だちとしゃべっているのだった。

「じつに信心深いというか……」などと言いながら、ときどき煙を吐いている。「だから毎日が宝探しなの。そう、まじめな話よ。嘘《うそ》だと思うでしょ。寝室なんかスイッチのプレートに絵がついてたわけ。ほら、ノアの方舟《はこぶね》みたいな聖書の場面。寝室は三つよ。一つはあたしの勉強部屋にしてる。サンジーヴがね、金物屋へ飛んでって、プレートを取り替えたわ。信じられる？　一つ残らずよ」

ここで話し手が交代して、トウィンクルは黒いスパッツに黄色のシェニール毛糸セーターという姿で、冷蔵庫の前に背中を丸めて坐《すわ》り込み、ライターを手でさぐっていた。レンジで何やら匂《にお》いがすると思ったサンジーヴは、メキシコ風素焼きタイルの上でくねくね絡《から》んでいる特別に長い電話線を引っかけないように歩いて、鍋のふたを開けた。赤っぽい茶色のソースらしきものが煮えたぎって、吹きこぼれていた。

「魚のシチューよ。あの酢を入れたからね」と、電話を中断し、人差し指と中指を重ねて十字架をつくった。「――ごめんね、こっちの話」

こういう女だ。つまらないことで、はしゃいだり喜んだりする。新しい味のアイスクリームを食べるにつけ、手紙をポストに入れるにつけ、ちょっとでも予測のつかない可能性があると、いまみたいな仕草で幸運を祈る。そういうところがわからない。この世には彼の頭では思いつかない不思議があるらしいから、こっちが馬鹿《ばか》になった気分だ。

彼女の顔を見た。娘時代を抜けていない顔だな、と思った。苦労のない目、あどけない顔立ち。これから大人の顔に固まっていくのでもあろうか。童謡からの愛称がついているくらいで、まだ小さい頃の呼ばれ方を脱していないのだ。

いま新婚二カ月目になって、何となく引っかかるものがある。しゃべっていて唾《つば》を飛ばすところとか、夜に脱いだ下着を洗濯かごに入れるのではなく、ベッドの足元に脱ぎちらかしておくこととか。

出会ったのは、たったの四カ月前だ。カリフォルニアに住む彼女の両親と、まだカルカッタにいる彼の両親が昔からの友人で、トウィンクルとサンジーヴが知り合う機会を、海を越えて仕組んだのである。たまたま知人の娘が十六歳になる誕生日があり、サンジーヴも出張でパロアルトに居合わせたのだった。レストランで隣同士に坐らされ、スペアリブ、春巻、鶏《とり》の手羽をのせて回転する丸テーブルに向かった。どれも味付けは同じだね、と意見が一致した。子供の頃から現在にいたるまでウッドハウスの小説が好きなのも一致した。シタールの音楽は嫌いなところも共通だった。あとになってトウィンクルは、ああいう会話のさなかにサンジーヴが彼女のティーカップを空っぽにしないよう気にかけてくれて、それが素敵だと思った、と告白した。

それで電話のつきあいが始まり、しゃべる時間が長くなった。さらに直接会いに行くようになった。まず彼がスタンフォードへ、そして彼女がコネティカットへ。以後、サンジーヴは週末に彼女が吸ってもみ消したシガレットを、その灰皿ごとバルコニーに出したまま保存することになった。つまり、次に来るときまでということで、そのときには彼女のためアパートに掃除機をかけ、シーツの洗濯をして、植木の葉っぱについた埃《ほこり》を払ったりもした。

彼女は二十七歳。どうやら最近、俳優になり損ねたアメリカ人の男に捨てられたらしい、と彼は察していた。サンジーヴはさびしい男で、収入は独り者では持てあますくらいにあるが、恋をしたことはなかった。

お膳立《ぜんだ》てされた仕上げが、インドでの挙式となった。いまでは記憶も薄らいだ子供時代の人々がわんさとお祝いに来て、降りやまない八月の雨の中、クリスマスツリーのように電飾をほどこしたマンデヴィル・ロードの赤とオレンジのテントで、二人は結婚した。


「屋根裏の掃除はしたのか」と、彼は言った。トウィンクルは紙ナプキンを折って、皿のわきへ押し込んでいた。引っ越してからの大掃除も、まだ屋根裏だけは手がまわっていなかった。

「してない。でも、する。それより味のほうはどうかしら」彼女はあつあつの鍋《なべ》をキリスト鍋敷きに置いた。ほかには小さなバスケットにイタリアンブレッド、またアイスバーグレタスとおろしニンジンに瓶入りドレッシングをかけクルトンをのせたサラダ、そして赤ワインのグラス。彼女はキッチンで本領を発揮するタイプではない。チキンはロースト済みのをスーパーで買ってきたのだし、いつ製造されたのかわからないパック入りのポテトサラダを添えてある。

インド料理は面倒くさいと言っていた。ニンニクを刻むのもショウガの皮をむくのも大嫌いで、ミキサーの使い勝手もわからないから、週末になるとサンジーヴがマスタードオイルにシナモンスティックとクローヴを合わせて、しっかりしたカレーをつくるのだった。

ところが、きょうばかりは、何が出来上がったにせよ、味は上々で見かけもいいと言わざるを得なかった。あざやかな白身魚の角切り、パセリ少々、新鮮なトマトが、濃い赤褐色のスープの中で輝いていた。

「どうやったんだ？」

「オリジナルよ」

「というと？」

「適当にお鍋に入れて、あとでモルト酢をちょいちょい」

「酢の分量は？」

彼女は肩をすくめ、パンをちぎって自分のボウルへ突っ込んだ。

「わからないってことがあるかい。メモしといたらいい。また今度ということもあるだろう。パーティーとか何とか」

「覚えとけばいいわよ」彼女がパンのバスケットに布巾《ふきん》をかけたのを見て、彼は不意に気がついた。モーセの十戒がプリントしてある。彼女は笑顔をきらめかせ、テーブルの下で彼の膝《ひざ》をきゅっと握った。「観念なさい。この家には神の恵みがあるの」

引っ越し記念パーティーは十月の最終土曜日と決まった。招待したのは三十人ほどで、すべてサンジーヴの関係だった。オフィスの面々が多いが、コネティカットあたりのインド系夫妻もかなりいた。たいして深いつきあいではないけれども、彼が独身の頃、土曜日の夕食に呼んでくれたものだった。どうして仲間扱いされるのかわからないとも思ったが、招かれれば出かけていって、スパイスのきいたヒヨコ豆やエビフライをご馳走《ちそう》になり、世間話や政治の話をした。ほかに行くところもなかったからだ。

そういう誰とも、いままでトゥィンクルには会わせていない。交際中は、せっかくの貴重な週末を、わびしい時代につながる人々と関わって無駄にしたくなかった。彼女にしてみれば、サンジーヴと、たぶんブルックフィールドの陶芸スタジオにいるのであろう元恋人のほかには、コネティカット州内に知った人間はいなかった。いまはまだスタンフォード大学に提出すべき修士論文を書いているところだ。さるアイルランド詩人の研究だが、サンジーヴの聞いたこともない名前だった。

サンジーヴは挙式のためインドへ向かう前に、この家をさがして決めていた。そこそこの値段で、まわりの教育環境も悪くなかった。家そのものでは、優雅にカーブして錬鉄の手すりがついた階段が気に入った。落ち着いた色の木の内装もいい。ツツジの花を見下ろすサンルームも、ちょうど誕生日の日付と同じ22と刻まれた真鍮《しんちゅう》板が、どことなくチューダー様式の正面にがっしり留められているのもよかった。使える暖炉が二つあり、二台分のガレージがあり、屋根裏部屋もあって、これは必要とあれば予備のベッドルームにもなる、と不動産屋が言った。だが、言われなくてもサンジーヴの気持ちは固まっていた。この家で、いつまでも、トウィンクルと暮らすのだ。それでスイッチのプレートに聖書ステッカーがくっついていようと、貝殻に乗ったような、とトウィンクルが言う聖母マリアが、主寝室の窓ガラスに透き通った移し絵で転写されていようと、もはや目が行かなくなっていた。入居してから窓の絵をこすり取ろうとしたら、ガラスに傷をつけてしまった。

パーティーを控えた週末のこと、二人で芝生の落ち葉をかき集めていたら、トウィンクルが悲鳴をあげた。さては動物の死骸《しがい》があったか、それとも蛇かと思って、彼は熊手《くまで》を握りしめ駆け寄った。きりりとした十月の風に耳の上端を刺されながら、スニーカーの足が茶色や黄色の枯葉を踏んだ。行ってみれば彼女は芝の上にくずおれて、ほとんど声もなく笑いころげていた。伸び放題に茂ったレンギョウの蔭《かげ》に、聖母マリ

ア の石膏像《せっこう》があった。人間の腰くらいの高さだ。青く塗られた頭巾をかぶっているところが、インドの花嫁のようでもある。トウィンクルはTシャツの裾《すそ》をつかんで、マリアの眉間《みけん》についた泥汚れをこすりはじめた。

「ベッドの足元に置きたいとでも言うんだろうね」

彼女はびっくりして目を上げた。腹が丸出しで、へそのまわりに鳥肌が立っている。

「あのですね、これはベッドルームには置けないの」

「置けない？」

「バッカねえ。これって屋外用じゃない。芝生に置くの」

「おい、ちょっと待て。トウィンクル、そりゃだめだ」

「だって、そうしなくちゃ。罰が当たるわよ」

「隣近所に丸見えじゃないか。気がふれたと思われるぞ」

「まさか、芝生にマリア像があるくらいで？　どこの家だってやってることじゃない。それでこそ溶け込めるわ」

「うちはキリスト教じゃないんだ」

「ああ、また始まった」彼女は指先に唾をつけて、マリアの顎《あご》にこびりついた汚れをきゅっきゅっとこすりだした。「これって泥じゃないのかしら。カビみたいなのかな」

話にならなかった。この女、知り合ってたったの四ヵ月、夫婦になって生活をともにしているが、まるで話が通じない。ちらっと悔恨めいたものが頭をかすめ、彼はカルカッタの母が送ってきたスナップ写真を思い出していた。ああいう花嫁候補は、歌がうたえて、裁縫ができて、料理の本を見なくても豆の下拵《したごしら》えができることになっていた。サンジーヴも乗り気でないわけではなく、好みの順にならべたりもしたくらいだが、そういうときトゥインクルに会った。「――なあ、職場の連中に、こんなの見せられないよ」

「宗教やってるからって首にはできないでしょ。そういうの差別だわ」

「そういう問題じゃないだろう」

「ひとにどう思われるかってのが、そんなに気になるの?」

「もう勘弁してくれよ」疲れが出た。彼は熊手に体重を乗せかけた。彼女はマリア像をずるずる運んで、楕円形《だえんけい》をした銀梅花の花壇のほうへ行った。そばに庭園灯が立って、レンガの小道が通っている。「ほら、これ。すてきじゃない」

彼は集めた枯葉のところへもどり、手づかみでビニール袋に詰めていった。頭の上は青空で雲ひとつない。芝生に一本だけ、まだ葉を落としていない木があった。赤とオレンジの色合いが、トゥインクルと結婚式を挙げたテントに似ていた。

ほんとうに彼女を愛しているのだろうか。初めて訊《き》かれたときは、そうだと答えた。ある日、パロアルトでの午後だった。ほとんど客の入っていない映画館で、ならんで坐っていて、暗くなってから訊かれた。映画は彼女のお気に入りだそうだが、何とかいうドイツ語の作品で、暗澹《あんたん》たるものだと彼は思ったのだけれども、それが始まる前に鼻と鼻をくっつけてきたので、マスカラをつけた睫《まつ》毛《げ》が揺れるのさえ感じられた。あの午後は、愛していると答えた。彼女は喜んで、ポップコーンを一つ、ちょっとだけ指をくわえさせるようにして彼の口に入れた。あれは正しい答えを言ったことのご褒美《ほうび》だったのだろうか。

彼女ははっきり言わなかったが、やはり愛しているはずだと彼は思った。それがわからなくなっている。それどころかサンジーヴは何が愛なのかわかっていない。何が愛でないのかはわかる。つまり、と彼は結論を出していた。――毎晩がらんとしたカーペット敷きのアパートに帰ることではなく、引き出しの一番上にあるフォークばかりを使うことではなく、また週末のパーティーで、ほかの男たちがいつしか妻や恋人の腰に腕をまわし、何度となく体を傾けて女の肩や首筋にキスするときに、遠慮して目をそらすことではない。クラシックのCDを通信販売で買おうとして、カタログのお薦め作曲家を順番に見ていって、いつも期限通りに支払いをすることでもない。

トゥインクルと出会う前、とうにサンジーヴはそう考えるようになっていた。「おまえ、三家族でも養えるくらいのお金が、口座にあるんだろう」と、月初めに電話をよこす母が言っていた。「可愛《かわい》がれる奥さんを持ちなさいよ」いま一人いる。器量はいい。出身カーストに不足はない。もうすぐ修士号を取るだろう。どこが愛せないというのだ。

その夜、サンジーヴは一人でジントニックを飲み、もう一杯つくって、これもニュースの話題が一つ終わるまでにほとんど飲んだ。それからトゥインクルのところに行った。彼女は泡風呂《あわぶろ》につかっている。芝生で熊手なんか使ったら手足が痛くなっちゃった、と言う。やったことないんだから、だそうである。

彼はノックをしなかった。彼女は顔に明るいブルーのパックをして、シガレットを吸ったり、氷を浮かべたバーボンに口をつけたりしながら、分厚いペーパーバックをぱらぱら読んでいた。水気でページがめくれ、色が変わっている。その表紙を見ると、暗い赤の色で『ソネット』という文字が書かれているだけだった。一つ息をして、彼はごく静かに伝えた。この酒を飲んでしまったら、靴をはいて外へ出て、正面の芝生からマリア像を片づける——。

「片づけてどこへ置くの」彼女は目を閉じて夢でも見るように言った。脚が片方しなやかに伸びて石鹼《せっけん》の層から上にあらわれた。その足の指を曲げて、そらす。

「とりあえずガレージに入れて、あしたの朝、会社へ出るついでにゴミ捨て場へ持っていく」

「やめてよ」彼女は立ち上がり、本が湯の中に落ちて、泡が太股《ふともも》を流れた。「大っ嫌い」と、目を細くしながらそう言った。バスローブに手を伸ばし、きっちり腰に結んで、階段を曲がって降りていった。寄せ木のフロアにぺたぺたと濡《ぬ》れた足跡がついた。玄関まで行ったので、「その格好で出ていくつもりなのか」とサンジーヴは言ったが、こめかみが脈打つのを感じ、つい声にもいつになく荒々しさが出ていた。

「だから何よ。どんな格好だっていいじゃない」

「この時間にどこへ行くつもりなんだ」

「あの像、捨てさせないからね。絶対だめ」すでに乾いたパックが、青ざめたというべき色になっていて、その厚塗りの顔に濡れ髪の水がしたたり落ちた。

「捨てるさ。捨ててやる」

「いや」トゥィンクルの声が急にしぼんだ。「あたしたちの家じゃないの。二人のものなのよ。あの像だって、この家の財産なんだわ」

震えているようだ。足元に小さな水たまりができている。風邪でも引かれたら困ると思って、彼は窓を一つ閉めた。すると、こわばった青い顔を垂れる水は、涙でもあることに気づいた。

「おい、おい、そんなつもりじゃないんだ」彼女が泣くのを見たことはなかった。こんなに悲しげな目を見たこともなかった。彼女は顔をそむけるのでも泣きやむのでもなく、だが不思議と落ち着いたようだった。ふとまぶたを閉じた。青い色で固まった顔の中で、そこだけ色が薄く無防備に見えた。サンジーヴは、食べすぎたような、まったく食べたりないような、へんな苦しさを感じた。近づいた彼女が、生乾きの腕を彼の首にからめ、胸にすがって泣いてシャツを濡らした。パックが少しはがれて彼の肩にくっついた。

結局、ある妥協をしておさまった。マリア像は横手の引っ込んだ位置に立たせる。家の前を通りかかる人には目立たないが、家へ来た人の目はごまかせない。

パーティーの献立は、まずシンプルと言えるものだった。シャンペンを一ケースに、ハートフォードのインド料理店のサモサ。チキンとアーモンドとオレンジピールを入れたライスの大皿は、サンジーヴが朝からほぼ一日がかりで用意したのだった。

これだけの人数を招いたことはなかった。飲み物がなくならないかと心配になり、念のためもう一ケースシャンペンを買い足しに走ったりした。そんなわけでライスを一皿分こがしてしまい、やり直しになったりもした。

トウィンクルはフロアの掃除をして、サモサを取りに行ってくると自分から言い出した。ちょうどマニキュアとペディキュアの予約があって、同じ方角だったのだが。

サンジーヴは、たとえパーティーのためだけでも、マントルピースに勢ぞろいした珍品を片づけてくれないかと言うつもりだったのだが、うっかりシャワーを使っているすきに、彼女に出かけられてしまった。たっぷり三時間はいなくなっていたから、やりかけの掃除を引き受けたのはサンジーヴである。

五時半には、この家がすっかり光り輝いていた。トウィンクルがハートフォードで見つけてきた香りつきのロウソクがマントルピース上の品々を照らし、また鉢植えの土にさした線香を照らした。彼は暖炉の前を通るたびに、客の顰蹙《ひんしゅく》を買うことを恐れて、身のすくむ思いだった。ちらちら光るセラミックの聖人や、マリアとヨゼフに似せた塩コショー入れを見られるのだ。しかし印象が悪いばかりではあるまい、とも考えた。この家には洒落《しゃれ》た出窓があり、艶《つや》やかな寄せ木のフロアがあり、立派ならせん階段があり、いい木目の壁がある。シャンペンを口に運び、サモサをチャツネにつけながら、客はそういうものを見るだろう。

一番乗りでやって来たのは、新しく会社の顧問になったダグラスだった。ノラという同伴者がいる。ならんでいると背の高いブロンドのカップルで、おそろいのワイヤーリム眼鏡をかけ、長い黒のオーバーコートを着ていた。ノラの黒い帽子には先のとがった羽根がたくさんついていたが、それはノラ自身の鋭い顔立ちと呼応するようだった。左の手をダグラスの手にからめている。右手には首に赤いリボンを巻いたコニャックのボトルがあって、これはトウィンクルに持たせた。

「いい芝じゃないか、サンジーヴ」と、ダグラスが評した。「うちでも熊手を出さないとね。で、こちらが……」

「家内の、タニマです」

「トウィンクルと呼んでください」

「めずらしいお名前ね」ノラが言った。

トウィンクルは肩をすくめた。「そうでもないんですよ。ボンベイの女優でディンプル・カパティアというのがいますし、その妹なんかシンプルです」

ダグラスとノラが同時に目を見開いて、奇抜な名前に得心しようとするように、ゆっくりとうなずいた。「どうも、初めまして、トウィンクル」

「シャンペンをどうぞ。いくらでもありますから」

「あのう、失礼ながら――」と、ダグラスが言った。「外にマリア像がありましたが、お宅はクリスチャンでしたか？ たしかインドでしたね」

「インドにもクリスチャンはおりますよ」サンジーヴが答えを出した。「――うちは違いますが」

「いいお洋服ね」ノラがトウィンクルに言った。

「そちらこそお帽子がすてき。じゃ、ご案内しましょうか」

また玄関ベルが鳴った。ひっきりなしに鳴った。ものの何分かのうちに、家の中は人間の体と会話と覚えのない芳香にあふれた。女たちはハイヒールと薄手のストッキングをはいて、クレープやシフォンの短い黒のドレスを着ていた。コート類を受け取って、サンジーヴは広々したコート用クロゼットのハンガーにていねいに掛けたのだが、トウィンクルのほうはサンルームの椅子《いす》に放ってくださいと言っていた。

とっておきのサリーに身をつつんだインド系の女もいた。細かい金模様のある生地が肩にかかって優雅な折り重なりを見せていた。

男たちはジャケットにネクタイで、柑橘《かんきつ》系アフターシェーヴローションの香りを漂わせていた。人々が部屋から部屋へとゆるやかな移動をするうちに、一階ホールの端から端まである長いチェリー材のテーブルに、プレゼントが山積みになっていった。サンジーヴは当惑を覚えていた。彼のため、この家のため、この妻のために、これだけの人々がこれだけ気を遣ってくれた。似たような経験といえば、結婚式の日くらいなものだろうか。だが、やはり違う。きょうの客は身内ではない。ただの知り合いで、何の義理もないというべきだ。

そういう誰もが、おめでとうと言った。これも会社の人間でレスターという男は、どう長くてもあと二カ月でサンジーヴも重役の列に連なる、と見通しを述べた。みんな大いにサモサを食べて、塗りたての天井や壁、吊《つ》り下げた植物、出窓、ジャイプール産の絹絵など、誉《ほ》めるところをしっかり誉めた。

だが、何よりも賞賛を浴びたのはトウィンクルであり、その紋織りの衣装だった。ゆったりしたブラウスとズボンを組み合わせたインド式で、全体に柿色《かきいろ》を帯び、大きな襟ぐりが背中を見せている。髪には白バラの花びらをつないだ糸を巧みに巻き、真ん中にサファイアをつけた真珠のネックレスが首を飾っていた。

トウィンクルの意向で選んだ熱っぽいジャズのレコードにも負けないくらい、人々の笑いがあった。彼女の愉快な話が座を盛り上げ、まわりの人の輪が広がった。サンジーヴはというと、温め具合を見ながらサモサを補給して、グラスの氷が減っていないか気を配り、がんばってシャンペンの栓を開け、うちはクリスチャンではないのですと何度言ったかわからない。

客を数人ずつ案内して、らせん階段を行き来したのはトウィンクルだ。裏の芝生を見せたり、地下への階段をのぞかせたりしていた。

「勉強部屋にあるポスターが大評判なのよ」サンジーヴとすれ違ったとき、彼の腰に手をかけて、得意満面にそう言った。

サンジーヴはキッチンへ行った。誰もいない。人目がないのを幸い、カウンターのチキン皿から、ちょいと手でつまみ食いをした。もう一つまみしてから、ジンをストレートでラッパ飲みして、チキンを喉《のど》に流した。

「いい家だ。いいライスだ」麻酔医をしているスニールが、料理をスプーンで紙皿から口へ運びながら入ってきた。「もっとシャンペンもらえるかな」

「おい、奥さん、すごい美女だな」あとからプラバルも来た。イェール大学で物理を教えている独り者である。一瞬、サンジーヴはこの男をぽかんと見て、顔を赤らめた。いつだったかディナーパーティーの席で、ソフィア・ローレンのことを、またオードリー・ヘップバーンのことを、すごい美女と評した男なのだ。「奥さんに妹はいないか？」

スニールはライスの皿からレーズンを一粒つまみ上げた。「トウィンクルの旧姓はリトルスターかい？」

二人が笑って、皿のライスをプラスチックのスプーンで耕すようにすくった。サンジーヴは地下へ酒を取りに行った。ひんやり湿った静けさのなか、しばらく階段に立って、シャンペンの箱を胸にあてて抱いていた。パーティーが梁《はり》の上で進行する。それからダイニングテーブルにもどって補給品を置いた。

「そうなんです。どれもこれもこの家にあったんですよ。へんなところから、ひょっこり出まして」居間でトウィンクルの声がする。「しかも、まだ出続けてます」

「まさか！」

「ほんとですよ。もう毎日が宝さがしみたいな、できすぎですよね。でも、冗談抜きで、どこまで行くのか神のみぞ知る、です」

これが火をつけた形になった。まるで暗黙の了解が整ったように、全員が総掛かりで部屋という部屋をしらみつぶしに探索し、クロゼットもかまわずに開けて、椅子やクッションの下をのぞいて、カーテンの裏をさぐり、書棚の本をどかした。いくつもの分隊ができあがり、わいわい騒いでらせん階段をのし歩いていた。

「まだ屋根裏は未開拓でした」トウィンクルがだしぬけに宣言したので、それっとばかりに人が流れた。

「どうやって上がるの？」

「廊下に梯子《はしご》があるんだ。天井のどこかに……」

サンジーヴはうんざりして最後尾から行ったが、梯子がどこにあると示すより先にトウィンクルが見つけて、大声をあげた。「発見！」

ダグラスが鎖を引くと、梯子が降りてきた。上気したような顔のダグラスは、ノラの羽根飾り帽子をかぶっている。幅の狭い梯子段を、ストラップの引っかかりそうな靴で上っていく女に男が手を貸し、一人また一人と客の姿が消えていった。インドの女たちは晴れ着のサリーを気にして、垂らした端を腰のあたりにたくし込んでいた。そのあと男たちもかき消したようにいなくなってしまうと、らせん階段を上がったところにサンジーヴだけが取り残されていた。

頭上で足音が雷のように響いた。あの仲間になろうとは思わなかった。ひょっとして天井が落ちるのではないかと思い、酒と香水の匂《にお》いを放つ人体が、どかどかまとめて降りかかってくるような想像が、一瞬にも満たない間だけはたらいた。

きゃあっと悲鳴があがって、笑いが渦を巻き、不協和音で広がった。何かが落ちて、ほかの何かが割れたようだ。トランクがどうのこうのと言い合っている。どうにかかこじ開けようとして、熱に浮かされたようにばんばんたたいているらしい。

たぶんトゥインクルの助けてくれという声がするだろうと思ったが、お呼びがかかることはなかった。彼はあたりを見まわした。この廊下。すぐ下の踊り場。シャンペングラスと、食べかけのサモサと、口紅のついたナプキン。そんなものが、ところかまわず置けるところに置いてある。

と、よほどに急いだと見えて、トゥインクルが靴を脱ぎ捨てて上がったのに気づいた。梯子の下に、黒い合成皮革の室内履きが、左右ともに置き去りなのだ。ゴルフのティーのようなヒール。爪先《つまさき》はオープン。足裏の体重がかかるところは、シルクのラベルが薄汚れて見えた。この靴を主寝室の戸口にそろえた。梯子を降りてきてつまずく人がいるといけない。

ぎぎーっと何やら開く音がした。やかましく入り乱れていた声が、静かなざわめきに変わっている。この家に自分一人という感覚がサンジーヴに生じた。音楽は終わっていて、じっと耳をすませば冷蔵庫の低いうなりさえ聞こえる。外の木々に最後まで残った葉がそよぐのも、その枝が窓ガラスにあたるのもわかる。

ちょんと手で一押しすれば、梯子はスプリングの作用で天井へはね上がる。もう一度チェーンを引いてやらないかぎり、上の人々は降りるに降りられないだろう。一人になって好き勝手ができるという可能性に、彼は思いをめぐらした。トゥィンクルが集めた珍品を片端からゴミ袋に突っ込んで、車でゴミ捨て場に持っていける。嘆くキリストのポスターを引っ剝《ぱ》がし、どうせやるならマリア像にもハンマーを。それから空っぽの家にもどって、一時間もあれば茶碗《ちゃわん》や皿を片づけられて、あとはジントニックでもつくって、あたためたライスを食べて、新しいバッハのCDを聴いて、それもライナーノーツを読みながらきちんと理解して聴ける。

つんつん梯子を押してみた。フロアに根をおろしたようで、びくともしない。その気でやらなければ動かないのだろう。

「ふう、一服したい」トゥィンクルの叫びが上から聞こえた。

サンジーヴは喉の奥が詰まるように感じた。めまいがする。横になりたかった。そこで寝室へ行こうとしたのだが、戸口でトゥィンクルの靴と出くわして足が止まった。これをトゥィンクルが突っかけるところを思った。だが、引っ越し以来のいらだった気分とは異なり、彼女がこの靴であたふたとらせん階段を降りて、フロアにかすかな傷をつけていく場面を思うと、切ないような待ち遠しさがあった。それから彼女がバスルームへ駆け込んで口紅をつけ直し、さらにまた帰る客のコートの世話に駆けまわって、ついに一人の客もいなくなってから、チェリー材のテーブルへ飛んでいってお祝いにもらったプレゼントを開けはじめる——と思ったら、ますます切なさに苦しくなった。

この切なさは結婚する前と同じだ。電話でしゃべってから受話器を置いたとき、空港から車を走らせながら、上昇する飛行機のどれに乗っているのだろうと考えたとき。

「ねえ、すごいのよ、嘘《うそ》みたいだから」

彼女の背中が現われた。両手を高く上げて、大きく肌を見せた肩を汗ばませ、何かを支えているのだが、まだ見えてこない。

「ちゃんと持った？」と誰かが言った。

「持った。離していいわよ」

すでに彼女はしっかりつかんでいた。銀無垢《きんむく》のキリストの胸像だ。その頭部はサンジーヴの頭の優に三倍はあろう。鼻は古代ローマ人のように隆々として、壮麗な巻毛がくっきりした鎖骨に落ちかかって、秀《ひい》でた額には壁やドアやランプシェードが小さく点々と映っている。悠然とした表情は、仰ぎ見られる自信のゆえか。妥協のない唇になまなましい肉感がある。この顔がノラの羽根帽子をかぶっているのだ。

降りてくるトウィンクルの腰に、サンジーヴは手を添えてやり、梯子の下まで来たところで胸像の重みを引き受けた。十数キロはある。宝さがしにくたびれた人々が、そろそろと梯子を伝いおりてきた。喉を潤《うるお》したくて、そのまま一階まで流れた人もいるようだ。

彼女は一つ息をして、眉《まゆ》をせり上げ、二本の指を十字にする仕草を見せた。「これをマントルピースの上に飾るのは、おいやかしら。ね、今夜だけ。いやだとは思うけど」

その通りだった。この威容がいやだ。完全無傷なのがいやだ。どうしようもなく価値が高いのがいやだ。これが彼の家にあったのが、彼のものであるのがいやだ。ほかにも見つかったものがあるとはいえ、これだけは別格の威厳があり、美しくさえある。しかし、自分でも意外に思うが、そういう美質があればこそ、なおさらいやでたまらない。さらに何がいやだといって、これをトウィンクルが好んでいるというのがいやだ。

「あしたからは勉強部屋に入れるわ」とも言った。「約束する」

そういうことにはなるまい、と彼は思った。この女と暮らしているかぎり、マントルピースの上に置かれて、ほかの品々がその左右を固めているだろう。来客があるたびに、どこからどう見つかったか説明をして、その彼女に客が賞賛をおくるだろう。

彼女の髪の乱れたバラの花びらを、彼は見た。喉元にある真珠とサファイアのネックレスを、足の爪につやつや光る深紅の色を見た。プラバルをしてすごい美女と言わせたのは、こういうところなのだ。さっきのジンで頭が痛み、像の重みで腕が痛かった。「きみの靴は寝室に置いたよ」

「ありがと。でも、いま足が痛いから」トウィンクルは彼の肘《ひじ》を軽くつまんでおいて、居間へ向かった。

サンジーヴは、羽根帽子を落とさないように気をつけて、ずっしりした銀の顔を肋《ろっ》骨《こつ》に押しあてると、彼女のあとについていった。

ビビ・ハルダーの治療

The Treatment of Bibi Haldar

生まれてから二十九年の大半を、ビビ・ハルダーは病みついて過ごし、その奇病には、家族も友人も、僧侶《そうりょ》も、手相見も、行かず後家も、宝石療法師も、予言者も、愚者も、ただ首をひねるばかりだった。

町内の人も、どうにか治してやれないものかと思って、七つの聖なる川から聖なる水を取ってきたことがある。夜中に、ビビが手首を縛られ、ひりひりする湿布薬を押しつけられて、苦しがって泣き叫ぶのが聞こえれば、わたしたちだってビビの名を唱え、お祈りをした。

賢者たちはユーカリの香油をビビのこめかみに揉《も》み込んで、薬草を煎《せん》じたお湯で顔を蒸した。ある目の見えないキリスト教徒が言い出したのがもとで、わざわざ列車に乗せ、聖人、殉教者の墓にキスをしに連れて行ったこともある。腕や首には魔物に魅入られないためのお守りが巻かれた。開運の宝石が指に飾られた。

だが医者にかかると、ますます事態は悪くなった。逆症療法、同毒療法、古代医術というような、ありとあらゆる医家の門をたたいた。言われることには際限がなかった。

X線、探針、聴診、注射のあとは、太りなさいとも痩《や》せなさいとも言われた。夜が明けたら寝ていてはいけないとも、昼までは寝ていなさいとも言われた。頭で逆立ちするようにとも、日中決まった時間ごとにバラモンの聖典を唱えるようにとも言われた。カルカッタで催眠術をかけてもらえ、という意見も出た。あっちの先生こっちの先生と連れまわされて、ニンニクは避けよ、苦味の薬草酒をがぶ飲みせよ、瞑想《めいそう》せよ、青いココナツの汁を飲め、アヒルの生卵をミルクにといて飲め、などという処方を受けていた。つまり早い話が、まるで結果の出ない治療法に、次から次へとつきあわされていたのが、ビビの人生なのだった。

なにしろ前触れもなく苦しくなる病状をかかえているのだから、うっかり外には出られない。ペンキも塗っていない四階建てのアパートに、ビビの暮らしは限られた。ここいらに身寄りといえば年上のいとことその女房しかいなかったが、この夫婦がアパートの二階に住んでいた。

ふらっと倒れて気絶したかと思うと、あられもない狂躁《きょうそう》状態に陥るかもしれない有様では、まわりの者にしても、ビビ一人で道路を渡らせたり市電に乗せたりするわけにはいかなかった。

ビビの日課というと、アパートの屋上で、物置に坐《すわ》っていることだった。坐っているだけならいいが、立ったら窮屈なところである。すぐ隣に便所があって、入口にはカーテンが下がって、格子《こうし》のない窓が一つ。ドアの板だった古材で棚ができていた。

そんな場所で、四角い麻布にあぐらをかいて坐り、いとこのハルダーがアパートの中庭入口でやっていた化粧雑貨の店のため、在庫品の記録をつけていた。この労働奉仕のおかげで、給金はもらえないにしても食べるものの心配はなく、十月の祭日になると木綿の生地がもらえたから、安い仕立屋に頼めば衣装を増やすことができた。夜は、いとこのアパートに居候《いそうろう》して、折りたたみ式のキャンプ用ベッドに寝た。

朝になると、ひび割れたビニールスリッパを突っかけ、膝頭《ひざがしら》は隠せるくらいの普段着を着て、物置へ上がった。ああいう裾短《すそみじか》なものを、わたしたちは十五の年を最後に着なくなっていた。むき出しの臑《すね》はつるんと毛がなく、うっすらした染《し》みのようなものが点々とついていた。

わたしたちが洗濯物を干したり、魚の鱗《うろこ》をこすり落としたりしていると、ビビは運命を嘆き、生まれた星の悪さを憤《いきどお》った。上唇が薄く、やけに歯が小さい。しゃべると歯茎が丸見えになった。

「どう思う？　ただ坐ってるだけで、だんだん年とって、青春も何もあったもんじゃない。商標や値段を帳面につけるばっかり。この先どうなるわけでなし。こんなのってある？」

耳の遠い人に話しかけているように、むやみと大きな声を出した。「あんたたちが羨《うらや》ましくなるのも当たり前でしょっ。みんな嫁にいって子供産んで、所帯の苦労をしていられる。あたしだってアイシャドウして髪に香水つけてみたい。子育てをして、これは甘いよ酸《す》っぱいよ、いいよ悪いよなんて言ってみたいじゃないのさ」

来る日も来る日も、ないものづくしの愚痴話をとめどなく聞かされた。そして聞いていると耳をふさぎたくなるほどに、本音が透けて見えてくる。ビビは男が欲しいのだ。自分の味方になって口をきいてくれるような、人生の道をつけてくれるような、そんな誰かが欲しいのだ。ほかの女と同じように、夕食を支度して出したいし、使用人を叱《しか》ってみたいし、三週間に一回は中国人がやっている美容院で眉《まゆ》のムダ毛抜きをするくらいのへそくりが箪笥《アルマリー》にあったらいい。

あんたらの結婚式はどうだった、と根ほり葉ほり知りたがるので、こっちが閉口したものだ。宝石のこと、招待状のこと、糸でつないで初夜の床にめぐらした月下香の匂《にお》い……。

ぜひにとせがまれて、蝶々《ちょうちょう》の浮き出し模様をつけた写真アルバムを見せたとき、ビビは式次第を追ったスナップ写真をじいっとのぞき込んでいた。バターを火にくべる、花輪を交換する、朱に色づけした魚が出る、貝殻や銀貨をのせた皿がある——。「たいした人数が来たのねえ」と言いながら、ビビは新郎新婦を取り巻く意外な顔ぶれを指でたどるのだった。「あたしの番になったら、みんな来てよね」

期待感ばかりが狂おしくビビの頭にこびりつき、夫さえ持てれば万々歳であるような気がして、そう思っただけでまた発作が起きるほどになった。タルカムパウダーの缶やヘアピンの箱がならぶ物置で、ひっくり返って丸くなり、理屈にならないことを口走る。「もう絶対ミルクに足を突っ込めない」と、これが泣き言である。「あたしなんか白檀《びゃくだん》のペーストを顔につけてもらえない。誰がターメリックを体にすりつけてくれる？　カードに赤い字で名前を印刷してなんかくれっこない」

一人で勝手に哀れっぽくなって、病気の暗さが肌の毛穴からにじみ出ていた。ねじくれた根性をさらけだしているビビに、わたしたちはショールをまとわせ、水槽の蛇口から汲《く》んだ水で顔を洗ってやり、ヨーグルトやバラ水をグラスに入れて持っていった。いくらかふさぎの虫がおとなしくなっているときには、仕立屋へ行ってブラウスなりペチコートなりを頼んでみようと誘ってやった。出かければ気分も変わるだろうし、わずかなりとも縁談につながらないかと考えたせいでもある。

「皿洗いの水みたいな汚い形《なり》をしてたんじゃ、寄ってくる男もいやしないよ。あれだけ生地を持ってて、むざむざ虫に食わせちゃうのかい？」

ビビはぶすっとした顔になり、言い返して、ため息をついた。「着たって行くとこがある？　見せる相手がいる？　誰が映画館や動物園で、ソーダ水やカシューナッツを買ってくれるのさ。そういうのって、みんな他人事《ひとごと》じゃないか。あたしは絶対に治らないし、もらい手もありゃしないんだ」

ところが、いままでにない療法を持ち出す医者があらわれた。こんなに凄《すさ》まじい療法もあるまい。

ある日、夕方になって食事に降りようとしたビビが三階の踊り場で卒倒し、そこいらに手足をばんばん打ちつけて、まるっきり正体を失った。うめき声が階段に響いたので、わたしたちは飛び出していった。ヤシの葉のうちわと角砂糖、それにビビの頭にかけるつもりで冷蔵庫の水をタンブラーに入れて持ちだした。子供たちも手すりにつかまって、発作の様子を見ていた。使用人たちはビビのいとこを呼びに走らされた。

十分ほどたって、ようやくいとこのハルダーが店を出てきた。顔が赤いだけで、どうという気配もない。騒ぎなさんな、とわたしたちに言うと、侮蔑《ぶべつ》の色を隠そうともせずビビを人力車《リクシャー》に押し込んで、大きな病院へ向かわせた。そこで血液検査が一段落したあと、担当の医者が腹立ちまぎれの結論を出したのだ。この人は結婚すれば治るよ——。

こうなると、窓辺で、物干場で、鳩《はと》の糞《ふん》を塗り固めたような屋上の手すりで、さかんに噂《うわさ》が飛びかった。次の朝までには、もう三人の占い師が、近々縁談ありの卦《け》が出ているとビビの手相を読んでいた。不謹慎な輩《やから》がカツレツ屋でえげつない内緒話をした。老女たちは暦をにらんで挙式の吉日を考えた。

それからというもの、わたしたちだって、子供を学校へ送るにせよ、クリーニングを受け取るにせよ、配給の店にならぶにせよ、ひそひそと話し込んだものだった。とにかく、もともとビビが閉じこもりすぎだったのは確かだろう。こうなってみれば、あの普段着の下の体つき、男にとってはどんなだろうと勘繰りたくもなった。そういう目で見ると、きれいな肌の色をしているし、睫毛《まつげ》はとろんと夢見るように長く、手が優美な形をつくっている。

「それだけが頼みの綱だってさ。かーっと逆上したようになってるらしいんだけどね」とまで言って、わたしたちは顔を赤らめた。「あっちのほうがうまくいけば血が静まるんじゃないかって」

言うまでもあるまいが、この診断にビビはわが意を得たりというところで、いそいそと人妻たるべき支度に取りかかった。ハルダーの商売物から少々難ありの品を使って、足の爪《つめ》に艶《つや》を出し、肘《ひじ》の手入れをした。新着の在庫品などそっちのけで、わたしたちに料理の作り方をしつこく尋ねた。バーミセリプディングやらパパイヤの煮込みやらを知りたがって、聞いたことをひん曲がった字で台帳に書き入れた。また、誰を招くか、デザートは何にするか、新婚旅行はどこへ行くかというような心覚えをまとめていた。グリセリンで唇をなめらかにして、体型を絞るために甘いものを我慢した。

ある日、仕立屋へ行きたいから誰かついてきてくれないかと言った。そして、このシーズンの流行だったアンブレラカットの、ゆったりした上下を新調した。表に出てからも、宝石屋の店先を通りかかるたびごとに、わたしたちをカウンターへ引っぱっていき、ガラスケースをのぞいて、ティアラのデザインはどうしよう、ロケットはどんな細工のがよかろうと相談するのだった。サリーの店にさしかかれば、ウィンドーにあるマゼンタ色のベナレスシルクのサリー、トルコ石色のサリー、マリーゴールド色のサリーを指さした。「最初はこれを着て、お色直しはこれとこれにしよう」

ところがハルダー夫妻は考えることが違った。ビビの夢想もわたしたちの不安もどこ吹く風と、いつもどおりの商売をして、ヘンナの顔料や髪油や軽石や美白クリームが三方の壁にびっしりの、押入と大差ないくらいの小さな店に、二人して詰めていた。「いやらしいことに、いちいち答えていられないよ」ビビの健康状態が話題になりかかると、ハルダーはそう言った。「治らないものはこらえてるしかないさ。あいつには苦労のしどおしでね。金はかかる、世間体は悪い」

小さいガラスのカウンターの奥でハルダーの脇《わき》に坐っている女房は、ぼつぼつ染みのある胸元へ風を送りながら、夫の言葉にうなずくのだった。ずんぐりした女で、地色を隠しきれないパウダーが、首の皺《しわ》にもぐり込んで固まっていた。

「だいたい、もらい手があるもんか。わけがわからなくって、言ってることはさかさまで、三十にもなろうって歳《とし》で、コンロの火もつけられず、飯も炊《た》けない、薬味の区別もわからないときたら、あれで台所の役に立つのかね」

それも一理あった。ビビは女として仕込まれたことがない。ずっと病気だったせいで実用の面では子供なみだ。ハルダーの妻は、ビビには悪魔がとりついていると思っているから、いっさい火の気に近づかせなかった。サリーを着るだけでも、ビビの場合、四カ所にピンを留めないとずり落ちる。家具カバーの刺繍《ししゅう》も、ショールを編むのも、ろくな腕前ではなかった。テレビを見てはいけないことになっている（電気のせいで気が高ぶるとハルダーが考えた）から、世の中の出来事にも、どんな娯楽があるのかにも疎《うと》かった。学校教育は九年で終わっている。

わたしたちはビビのためを思って、縁談を進めたほうがいいと言った。「ビビに欠けていたのはそれなのよ」と言ってみたのだが、ハルダー夫妻は話して通じる相手ではなかった。売り物にかける紐《ひも》よりもなお線の細い唇に、ビビへの怨念《おんねん》が固着していた。新療法に賭《か》けてみても損はなかろうとわたしたちが食い下がると、「あいつは品性において劣っている。持病を言い立てて人の気を引こうとする。ああいうのが暇を持てあますと、またぞろ面倒を起こすから、働かせておくのが一番だ」「だったら縁付ければいいじゃないの。せめて厄介払いになるでしょうに」「それで店の揚がりを食いつぶすか？　料理の手配、腕輪の注文、新しいベッド、嫁入り道具」

だが、ビビの疼《うず》きは止まらなかった。ある日、お昼に近くなった頃、シフォンにアイレットの刺繍がほどこされたラベンダー色のサリーの着付けをわたしたちに頼み、このために借りてきたミラー張りスリッパを履くと、定まらない足取りでハルダーの店へ飛んでいき、見合い写真を回せるように、これから写真館へ連れていってくれと言った。

その様子をわたしたちはバルコニーの雨戸の隙間《すきま》から見ていた。すでにビビの脇の下は汗で輪染《じ》みができていた。「レントゲンのほかには写真なんか撮ってもらったことがない」と駄々をこねる。「向こうだって、嫁にする女の顔形くらい知っておきたいと思うじゃないの」

ハルダーは素っ気なかった。見たいと思えば勝手に見られる、という言い分だ。ビビが泣いたりわめいたりで、来る客も来なくなってしまう。店に損をかける疫病神《やくびょうがみ》だってことは、写真にしなくたって町中に知れているじゃないか。

次の日からビビは在庫調べをやめてしまい、ハルダー夫妻の暮らしにまつわる機微をあばいて、わたしたちを大笑いさせた。「日曜日にはね、女房の顎《あご》の毛を抜いてやってる。現金は冷蔵庫に入れて鍵《かぎ》をかけるんだよ」

近隣の屋根から屋根へ聞こえるように、ビビは屋上を闊歩《かっぽ》してどなり散らした。何か一つ広報があるたびに、聴取率が上がった。「女房は風呂場《ふろば》でヒヨコ豆の粉を腕につける。少しは色白になってるつもりだよ。右足は中指がないんだ。あれだけ昼寝が長いのはね、女房がまるっきり喜ばないからさ」

これを黙らせたいばかりに、ハルダーは町の新聞に一行の広告を出した。「情緒不安定、身長一五二センチ、花婿《はなむこ》募集」

こう書けばどこの親にも嫁さん候補の正体はわかる。好きこのんで危ない荷物を引き受けようという家はなかった。無理もなかろう。ビビは流暢《りゅうちょう》かつ意味不明の言語でみずからと対話し、夢も見ずに眠るというのが、もっぱらの噂であった。市場でハンドバッグの修理をしている、歯が四本しかない侘《わ》びしいやもめ男でさえ、それだけは勘弁してくれと言った。

わたしたちは、何はともあれビビの気を紛らすべく、妻たる者の修業をさせようと考えた。「お釜《かま》みたいにむっつりしてたら、どうしようもないじゃないの。男ってのはね、女の顔で安らぎたいと思ってるんだから」

ひょっとして名乗りを挙げる男が出ないともかぎらないから、手近なところで雑談の練習でもしてごらんとわたしたちは言った。水の運び屋が経路の最後にここいらへやって来て、物置でビビの壺《つぼ》に水をそそぐときは、「あら、こんにちは」と言うものだと教えた。石炭屋がかごの荷を屋上であけたなら、にっこり笑って天気の話でもすればいい。

自分らの経験を思い出しながら、相手方と面会するときの要領を伝授した。「たいてい婿さんは両親のどっちかと来るね。それと祖父母のどっちか、叔父さんか叔母さん。じいっと見て、いくつか訊《き》いてくるんだ。足の裏を見られるよ。編んだ髪の太さもね。総理大臣の名前は何だとか、詩の文句を言ってみろとか、一ダースの人間が腹をすかせてたら半ダースの卵をどう食べさせるとか」

広告を出して以来むなしく二カ月が過ぎて、ハルダー夫妻は、そうれ見ろ、という気分になった。「やっぱり嫁には行けないってことだよ。気の確かなやつなら手を出そうとするものか」

ビビの父親が生きている時分は、これほどひどいものではなかった(母親は娘を産み落として死んだ)。父親は近在の小学校で算数を教えていたが、その晩年は、ビビの病状に何らかの論理が見いだせないかと丹念に記録をつけていた。進み具合を問われれば、「どんな問題にも解法はある」と答えるのが常だった。大丈夫さ、とビビに言い、しばらくはわたしたちにもそう言っていた。イギリスの医者に何通も手紙を書き、夕方には図書館で症例を調べ、守り本尊への祈願として金曜日には肉類の食事を断った。そうこうするうちに教師の職も辞めてしまった。寺子屋式に教えるだけで、四六時中ビビの様子を見ていられるようにしたのである。

だが、若い頃には平方根の演算能力で優等だった男にも、娘の奇病に答えを出すことはできなかった。さんざん調べたあげく、ビビの発作は冬よりも夏に頻発し、これまでに大きな発作だけで二十五回前後に及ぶという記録を得ただけである。症状を一覧にして、それを鎮《しず》める対処法を書き添えた文書を隣近所に配布したのでもあったが、結局はどこかに紛れるか、子供たちの帆掛け船になるか、普段の買い物の計算用紙になった。

わたしたちにしても、ビビとつきあって、慰めてやって、ときに見張りの目を向けているということのほかは、これといって対策がなかった。ああいう悲哀を本当にはわかっていなかった。日によっては昼寝のあとでビビの髪をとかしてやり、あまり分け目が広くならないように、その位置を変えてやった。

ビビの求めによって、口のまわりから喉《のど》にかけての産毛《うぶげ》にパウダーをはたき、眉《まゆ》をくっきり描いて、午後に子供たちがクリケットをする養魚場の池の端へ連れていった。依然としてビビは男を引っかけるつもりだった。

「こんなになってるけど、あとは健康そのものなんだから」と、恋人たちが手をつないでそぞろ歩く小道のベンチに腰をおろしながら、ビビは自説を述べた。「風邪ひとつ引いたことないもの。黄疸《おうだん》にもなってないし、さし込みも消化不良もない」

わたしたちは、いぶしてレモン汁をかけたトウモロコシや、二パイサのキャラメルを買ってやることもあった。気休めになる話をした。色目を遣う男がいるとビビが思い込んだときは、うまく相槌《あいづち》を打っておいた。でも、やはりビビはわたしたちの係累《けいるい》ではないわけで、人前では言えないが、それで内心ほっと安堵《あんど》してもいたのである。

十一月。ハルダーの女房が子を宿していると知れた。その朝、物置でビビは泣いた。「あたしがね、瘡《かさ》っかきみたいに、悪いもんを移すっていうのよ。赤ん坊がだめになるって」

ビビは苦しい息をして、その瞳孔《どうこう》は壁のはがれた箇所にぴたりと据えられていた。

「この先、あたしはどうなるんだろう」

いまもって新聞広告への反応はなかった。「一人でこんな業苦《ごうく》を背負わされて、まだ罰が足りないってのかい。ばい菌みたいに言われないといけないのかい」

ハルダー家の亀裂《きれつ》が深まった。ビビがいるだけで胎児に悪影響があると決めてかかった女房は、ふくれた腹にウールのショールを巻くようになった。ビビは洗面所の石鹸《せっけん》とタオルを別にされた。皿洗い女中の話では、ビビの皿だけは分けて洗っているらしい。

そして、ある日の午後、前兆も何もあらばこそ、またしても事が起こった。養魚場の小道でビビは倒れた。ぶるぶる痙攣《けいれん》して、唇を嚙《か》んだ。地面で身をよじる女のまわりに人が集まり、どうにかして手を貸そうとした。ソーダの瓶をあけていた男が七転八倒の手足を押さえつけ、キュウリの薄切りを売っていた男がこわばった指をほどこうとした。わたしたちも池の水をかけたり、香水のハンカチで口をぬぐったりした。ジャックフルーツ売りは、右に左に揺れたがるビビの頭を押さえていた。砂糖キビ搾《しぼ》り機をまわしていた男は、いつもなら蠅《はえ》を追っているヤシの葉のうちわを握りしめ、あっちからこっちから風を送っていた。

「この中に医者はいないか?」

「舌が喉の奥へ行くとまずいぞ」

「ハルダーには知らせたのか?」

「こりゃ、石炭より熱いや」

周囲の奮闘むなしく、騒動はやまなかった。魔手とせめぎ合い苦痛に苛《さいな》まれるビビは、歯ぎしりをして、膝《ひざ》をがくがく震わせた。二分以上は経過しただろう。わたしたちはただ見守るばかりで、どうしたらいいか考えあぐねていた。

突然、「皮だっ!」という叫び声がした。「皮のにおいを嗅《か》がせろ」

そう言われれば思い出すことがあった。前回の発作では、牛革のサンダルを鼻の下にあてがったら、ようやくビビが激痛の呪縛《じゅばく》から逃れたのだ。

「どうなったの、ビビ。どうなっちゃったのさ」目をあけたビビにわたしたちは言った。

「暑いと思った。そしたら、もっと暑くなって、目の前を煙が流れて、真っ暗闇《くらやみ》よ。いま暗くなかった?」

近所の亭主どもが何人か付き添ってビビを送り届けた。夕闇が濃くなり、ホラ貝を吹く音がして、お祈りに焚《た》く香が空気に立ちこめた。ビビは口の中で何か言ってよろめいていたが、どうとも聞こえなかった。頬に打ち身があり、ところどころ切れている。髪は乱れ、肘《ひじ》に泥がついて、前歯に小さく欠けたところがあった。わたしたちは子供の手を引き、危なくなさそうな間隔をあけてついていった。

こういうときは毛布と湿布と鎮静剤がいる。見ていてやる人がいる。だが、アパートの中庭に着いたとき、ハルダー夫妻はビビを迎え入れようとはしなかった。「ここには妊婦がいるんだから、ヒステリーの人間と接触させたら、医学的な危険が大きすぎる」というのがハルダーの言い分だった。

その夜、ビビは物置で寝た。

生まれた赤ん坊は女の子で、六月の末に、鉗子《かんし》を使って引き出された。その頃のビビはアパートにもどしてもらっていたが、簡易ベッドを廊下に置かれて、じかに赤ん坊に接するのは禁じられていた。

毎日、屋上での帳簿付けに追いやられ、昼になるとハルダーが、午前中の売り上げ記録と、小鉢に入れた干し豆を持ってくる。それが昼食だ。夜には一人だけ階段で、パンをミルクにひたして食べた。発作をくり返したのだろうが、もう誰も見ていない。

わたしたちが心配を口にすると、ハルダーは他人には関係ないの一点張りで、まるで相手にしなかった。そこで、こっちの気持ちを思い知らせてやろうと、わたしたちはほかの店で買い物をすることにした。せめてもの仕返しになるだろう。

何週間かたつうちに、ハルダーの店の品物は、うっすら埃《ほこり》をかぶるようになった。ラベルの字は薄れ、コロンの香りがおかしくなった。夕方、通りがかりにのぞくと、ハルダーは一人で坐《すわ》って、スリッパの裏で蛾《が》をはたいていた。女房の姿は見かけなかった。皿洗い女中に聞けば、まだ床離れしないのだという。よほどの難産だったにちがいない。

秋になった。十月の祭日を控えて、町は買い物や祭りの支度であわただしくなった。木々にめぐらした拡声器から映画の歌が鳴り響いた。アーケードや市場は終日営業になった。わたしたちは子供に風船や色とりどりのリボンを買い、甘いものをまとめ買いして、この一年ご無沙汰《ぶさた》だった親戚《しんせき》にタクシーを使って挨拶《あいさつ》まわりをした。

日が短くなり、夜が肌寒くなった。わたしたちはカーディガンのボタンをかけて、靴下を引っ張り上げた。それから冷え込みが来て、喉がおかしくなった。子供にはぬるい塩水でうがいをさせ、首にマフラーを巻かせた。ところが、ほんとうに病みついたのはハルダー家の赤ん坊だった。

夜中に医者が呼ばれ、何とか熱を下げてくれと頼まれた。「この子を治して」と、女房が泣きついた。うわずった悲鳴にアパートじゅうが目を覚ました。「どんなお礼でもするから、この子を助けて」

医者はブドウ糖を飲ませる処方をし、アスピリンを乳鉢ですりつぶし、しっかり蒲《ふ》団《とん》をかけてくるむようにと言った。

五日たっても、熱は頑として下がらなかった。

「ビビのせいだ」と、女房がわめいた。「あれの仕業だ。移されたんだ。屋上から降ろすんじゃなかった。アパートから追い出しておけばよかった」

それでまたビビは物置で眠ることになった。女房にせっつかれたハルダーが、ビビの持ち物を入れたブリキのトランクとともに、簡易ベッドを上げたのだ。食事は階段の上に、水切りをかぶせて放置された。

「まあ、いいんだけどさ」と、ビビはわたしたちに言った。「離れて暮らせるほうがね、独り立ちしたみたいでさ」

ビビはトランクの中身を出して――普段着、額に入れた父親の写真、裁縫道具、端《は》切《ぎ》れを出して――空いている棚にならべた。その週のうちに赤ん坊は元気になったが、ビビは降りてこいとは言われなかった。

「平気だってば。座敷牢《ざしきろう》じゃあるまいし」と、わたしたちに気を揉《も》ませまいとした。「階段を降りた先に世間があるんだ。見たいように見ればいいんだよ」

そう言ったくせに、もうビビは外へ出ようとはしなかった。養魚場へ行こうとか寺院の飾りつけを見ようとか誘っても、物置の入口に下げるカーテンを縫ってるからだめだと言って断った。肌に生気がなくなった。少しは外気にあたらないといけないので、「婿さんさがしでもどう?」と、わたしたちから水を向けた。「一日こんなとこに坐ってたって、男に惚《ほ》れられるもんじゃないよ」

ビビは聞く耳を持たなかった。

十二月の半ばには、ハルダーが売れ残りの商品を棚から片づけて箱に入れ、物置に運び上げた。不買運動で商売がやりづらくなったのだろう。暮れのうちに引っ越してしまった。三百ルピーの現金が、封筒に入ってビビのドアの下に置いてあった。それきり消息は知れない。

ハイデラバードにビビの縁者がいるらしい。その住所を知っているという人の話で、そこへ事情を書き送ってみた。未開封の手紙が宛先《あてさき》不明でもどってきた。寒さが厳しくなる前に、わたしたちは物置に雨戸をつけ、入口にトタン板を張ってやった。とりあえず目隠しにはなる。石油ランプを寄付した人や、古い蚊帳《かや》、かかとの抜けた靴下を持ってきた人がいた。

わたしたちは折りあるごとに、こうして近所の者がいるんだ、何かあったら遠慮なく言ってくれたらいいんだ、と念を押していた。しばらくは午後に子供らを屋上で遊ばせた。また発作でも来たら、すぐに知らせがあるだろうという考えだ。さすがに夜の番まではしなかったが。

それから何カ月かたった。ビビは深い沈黙に引きこもったきりになっていた。わたしたちが交替でライスの皿やお茶のコップを置いてやっても、ビビはろくに飲まないし、食べる量はさらに少なく、見た目にも年に不相応な変わりようだった。日暮れどきに屋上の手すりに沿って一回りか二回り歩くだけで、ちっとも降りて来ない。暗くなればトタン板の奥に引っ込んで、金輪際出ようとはしなかった。

わたしたちも無用な手出しを控えていた。死にかけているのではないか、もう普通の精神ではあるまい、などという説が出た。

ある四月の朝、すでに豆の薄餅《うすもち》を天日にさらすくらいの暑さがもどっていたが、屋上に出ると、水桶《みずおけ》の蛇口のそばに誰かが吐いたような形跡があった。そんなことがもう一度あったので、わたしたちはビビのトタン板をノックした。返事はなかったが、どうせ鍵《かぎ》もないドアなので、勝手にあけて入った。

ビビは簡易ベッドに寝ていた。四カ月の身重だった。

さっぱり覚えがない、とビビは素っとぼけた。相手の名を言わない。小麦粉に牛乳とレーズンを入れておかゆをつくってやっても、あくまで口を割ろうとしなかった。ひょっとして押し込みが入って乱暴でもされたのかと思ったが、それらしい様子もない。部屋はきちんと片づいていた。ベッドのそばに落ちていたのが在庫品の台帳で、それが新しいページを開いた形になり、名前がずらずら書き連ねてあった。

月が満ちて、ある九月の夕刻、わたしたちの手を借りて、ビビは男の子を産んだ。どうやって乳を含ませ、体を洗い、寝かしつけたらいいのか、まわりの者が教えた。油布を一枚買ってきてもやった。ビビは貯《た》め込んだ端切れを使って、教わりながら衣類や枕《まくら》カバーを縫い上げた。

ひと月もすると、すっかり回復したビビは、ハルダーが置きみやげにした金で物置を白壁に塗り、窓やドアに南京《ナンキン》錠をつけた。さらに棚の埃を払って、残っていた水薬、化粧水の類《たぐい》をならべ直し、ハルダーの在庫品に半値をつけた。

そういう売り出しを口コミで広めてくれというから、わたしたちも一肌脱ぐことにした。石鹸やコール墨、櫛《くし》や白粉《おしろい》などをビビから買った。すっかり売りさばいてしまうと、ビビはタクシーで卸売市場へ行き、それまでの儲《もう》けを元手にして、新品の在庫をそろえた。

そうやってビビは子供を抱えながら物置で商売を続け、わたしたちもできるだけの力添えをした。後々まで、ビビの貞操を奪ったのが誰なのかわからずじまいだった。近所の使用人で問いただされる者があり、茶店やバス乗り場で名前が挙がっては嫌疑が晴れるという者があった。でも詮索《せんさく》したところで仕方がない。ビビは、わたしたちの知るかぎり、治ったのだから。

三度目で最後の大陸

The Third And Final Continent

私がインドを離れたのは一九六四年のことだ。商科の勉強を終え、当時で十ドル相当の金を持って出たのだった。ローマ号というイタリアの貨物船に乗って三週間、エンジン室の隣の船室で、アラビア海、紅海、地中海を越え、ようやくイギリスに着いた。行った先は北ロンドンのフィンズベリー・パークというところにあった寮である。私と似たり寄ったりの、金のないベンガル系の独り者ばかりが、少ないときでも十何人かは住んでいて、異国で苦学し、身を立てようと頑張っていた。

私はロンドン大で経済学を受講しながら、大学図書館のアルバイトで生活費を稼いだ。寮では三人か四人が同室で、凍えるような共同便所が一つあり、交替で玉子カレーをつくっては、新聞紙を敷いたテーブルを囲んで、手で食べていた。

仕事のほかには、さしたる用事もなかったわけで、週末には紐《ひも》で結ぶパジャマ式のズボンで、靴もはかずに、お茶を飲んだり、ロスマンズのタバコをふかしたり、のんびりしたものだった。クリケット見物にローズ球場へ出かけたりもした。週末といえば、飛び入りのベンガル人で寮があふれ返ったこともある。青果店なり地下鉄なり、出くわしたところで名乗り合い知己になったのだ。そこで玉子カレーを増産し、グルンディヒ製のオープンリール・テープデッキでムケーシュの音楽を流し、使った皿は浴槽につけておいた。

どうかすると寮を出る者もいた。カルカッタの家族に嫁として決められた女と暮らすためだ。一九六九年、三十六歳になった私にも、縁談がまとめられた。ほぼ時を同じくして、アメリカから仕事の口がかかった。マサチューセッツ工科大の図書館で、正規の職員として資料整理をするらしい。給与条件からして妻帯もできそうだし、世界に冠たる図書館に雇われるという名誉心もあって、労働者としての在米許可を取得し、さらなる新天地を求めることにした。

このときは飛行機代くらいの金があった。まずカルカッタへ飛んで自分の結婚式に出席し、一週間後にボストンへ飛んで新しい職場へ行った。

アメリカへの機内で、『学生のための北米ガイド』という本を読んだ。ロンドンを発《た》つ前にトッテナムコート・ロードで買った七シリング六ペンスのペーパーバックである。すでに学生ではなくなっていたが、切り詰めた暮らしは相変わらずだった。

アメリカでは車が右側通行なのだと書いてある。エレベーターに乗るときも電話が話し中であるときも、イギリスとはものの言い方が違うらしい。「北米では生活ペースがイギリスとは違うのだということに、すぐ気がつきます」と、ガイドブックが教えてくれた。「誰もがトップに登りつめようと必死です。イギリスの流儀とは異なると思ったほうがいいでしょう」

高度を下げはじめたボストン湾上空で、パイロットが天候と時刻をアナウンスした。ニクソン大統領が国民の祝日を宣言したニュースも伝えられた。二人のアメリカ人が月面に降り立ったというのだ。それを聞いて歓呼する乗客もいた。「アメリカ万歳」の叫びもあがった。通路側の隣で祈りを捧《ささ》げる女性がいた。

ケンブリッジの町へ来て最初の夜は、セントラル・スクエアのＹＭＣＡに泊まった。安上がりな施設としてガイドブックが薦めていた。大学までは歩けるし、郵便局およびヘピュリティ・スープリーム〉と称するスーパーマーケットが目と鼻の先にあった。泊まった部屋には簡単なベッドがあり、机があり、一方の壁に小さい木の十字架があった。ドアの張り紙に、炊事厳禁と書いてあった。カーテンのない窓からマサチューセッツ・アヴェニューが見おろせた。にぎやかな往来である。きつく長く引いたクラクションが立てつづけに鳴った。くるくる光ってサイレンが響けば、またどこかで緊急事態ということだ。次から次へとバスが重いうなりをあげて、ドアを開け閉めする強い空気音が夜通し聞こえていた。

そういう音が気になって仕方なかった。息苦しくさえあった。かつて汽船のエンジン室から響いた重い怒号と同じく、肺腑《はいふ》をえぐるような音だった。だが、ここには逃げ場になるデッキもなく、心躍る外洋のきらめきもなく、顔を涼ませる海風もなく、話しかける人間もいなかった。

ＹＭＣＡの薄暗い廊下をパジャマ姿でうろつく元気もなかったので、ただ机の前に坐《すわ》って窓の外をながめた。目の先にはケンブリッジの市役所があり、小店舗がならんでいた。

明くる朝、新しい職場となるデューイ図書館へ出向いた。メモリアル・ドライブに面したベージュ色の砦《とりで》のような建物だ。それから銀行へ行って口座を開いた。郵便局に私書箱を借りた。〈ウルワース〉でプラスチックボウルとスプーンを買った。ロンドンでも名前を見かけた店だ。

スーパーマーケットでは通路を行ったり来たりして、頭の中でオンス表示をグラムに換算し、イギリスの物価とくらべていた。結局買ったのは小さい牛乳のパックとコーンフレークだ。これがアメリカでの最初の食事になった。机に向かって食べた。マサチューセッツ・アヴェニューのコーヒーショップで、ハンバーガーなりホットドッグなりを食べるという唯一《ゆいいつ》可能な代案もあったのだが、こっちのほうがよかった。それに、当時の私はまだ牛肉なるものを食べる習慣がなかった。牛乳を買うだけの当たり前の行為ですら、新体験であったのだ。ロンドンでは毎朝、瓶入りで配達されていた。

一週間たった。それなりに適応していた。朝な夕なコーンフレークに牛乳をかける食生活で、いくらか変化をつけようと思えばバナナを買い、これをスプーンで切ってボウルに加えた。

それからティーバッグと携帯用の魔法瓶《フラスコ》も買った。〈ウルワース〉の店員はサーモスと言った（話を聞くと、フラスコと言ったらウィスキーでも入れる瓶だと思うらしい。これまた私は飲んだこともなかったが）。

朝の出がけに魔法瓶に湯を入れて持ち歩けば、一日に四回はお茶が飲めた。コーヒーショップなら一杯分の値段だったろう。牛乳も大きめのパックで買うようになった。窓辺の日陰に置いておけばよいことは、ＹＭＣＡに同宿していた人に見習った。

夜は暇つぶしに新聞を読みに下へ降りた。ステンドグラスのある広々した部屋で、『ボストン・グローヴ』の記事にも広告にも残らず目を通した。世情を知りたいと思って読んでいた。目が疲れれば寝た。

ただ、どうも寝つきが悪かった。窓は開けておかないといけない。風通しのよくない部屋で、そこだけが外気の入口である。だから騒音が飛び込む。簡易ベッドで耳に指を突っ込んでいたが、とろとろ眠りそうになると手が落ちて、また道路の音で目が覚めた。

鳩《はと》の羽が窓に降りかかった。ある晩、コーンフレークにかけようとした牛乳が腐っていた。それでも私はYMCAに六週間は逗留《とうりゅう》するつもりだった。妻にパスポートとアメリカの滞在許可が出るのを待っていたのである。

妻がやって来たら、しかるべきアパートを借りなければなるまい。何度となく新聞の案内広告を見たり、昼休みに大学の住宅斡旋《あっせん》窓口に立ち寄ったりして、懐《ふところ》具合と相談しながら適当な物件をさがしていた。

即入居可、という下宿を見つけたのは、そんなときである。静かな街にある家が週八ドルで一室を貸すらしい。私はガイドブックに住所を書き込んで、まだ不慣れなコインをそろえながら公衆電話のダイヤルをまわした。アメリカの硬貨はイギリスのよりも小さく軽く、インドのよりは重くて光っていた。

「どちらさん？」と、おっかない女の声がした。耳にびんびん響く。

「あのう、すみません、部屋のことで電話したのですが」

「ハーヴァード？　工大？」

「は、何ですか？」

「ハーヴァードか工大かどっち？」

工大というのはマサチューセッツ工科大のことだろうと思って、「デューイ図書館に勤務してます」と答え、そうっと先を言った。「工大の」

「ハーヴァードか工大の人にしか貸しませんよ」

「はあ、どうも」

住所を教えられ、夕方七時に会うことになった。その三十分前に、ポケットにガイドブックを入れ、リステリンでさっぱりした息をしながら、その家へ向かった。マサチューセッツ・アヴェニューと直交する木陰の道に折れると、ひび割れた歩道のあちこちに雑草が細長い葉をのぞかせていた。

暑い日ではあったが、これもまた面接なのだと思って、私は背広にネクタイをしていた。インド人以外の家庭に住んだことはなかった。まわりを金網フェンスで囲んだ家は、オフホワイトを基調にして、ダークブラウンの建材を使っていた。ロンドンで住んでいたのは化粧しっくいのテラスハウスだったが、この家は板張りで、正面と左右にへばりつくようにレンギョウが茂っていた。

ベルを鳴らすと、あの電話の声の主が、ドアのすぐ後ろでどなったように聞こえた。

「はい、ちょっと待って！」

そのわりに時間がかかって、ドアを開けたのは、ずいぶん小柄な、とんでもなく高齢の女性だった。雪のような白髪は、小さな袋を頭にかぶせたような形である。私が中へ入ると、その人は横長の木の椅子《いす》に坐った。これがカーペットを敷いた狭い階段の下にある。小さい水たまりのような光を受けた椅子に腰を据え、じっと集中してこちらを見上げてくる。

長い黒のスカートが、ぴんと張ったテントのようにフロアに広がっていた。糊《のり》のきいた白いシャツの喉元《のどもと》と袖口《そでぐち》に、ひだ飾りがついている。膝《ひざ》に重ねた手の指は長く青白く、関節だけがふくらんで見え、硬そうな爪《つめ》が黄ばんでいた。

寄る年波というのだろうか、ほとんど男の顔になっている。鋭いくぼんだ目。鼻の脇《わき》のくっきり目立つ皺《しわ》。荒れて色あせた唇は消えてなくなったも同然で、すでに眉《まゆ》は消滅していた。だが、その顔に凄味《すごみ》がある。

「戸締まりっ！」と、彼女は命じた。すぐそばの私に、えらく大きな声だ。「チェーンを掛けて、ノブのボタンをぎゅうっと押して。入ったらまずそうする。わかった？」

言われたようにドアをロックして、家の中をながめた。この女の人が坐っている椅子の隣には小さな丸テーブルがあり、ご当人と同じように、テーブルの脚もすっぽりとレースのスカートに隠れていた。卓上には電気スタンド、トランジスタラジオ、銀の口金をつけた革製のがま口、電話機。うっすら埃《ほこり》をかぶった太い杖《つえ》がテーブルに立てかけてあった。

右側へ目をやると客間らしき部屋があり、壁には本棚がびっしりで、鉤爪《かぎづめ》の足の古ぼけた家具が所狭しとならんでいた。部屋の隅にグランドピアノがあった。蓋《ふた》が閉まって、楽譜が積み上げられている。ピアノの椅子がないけれども、この人が坐っているのがそれだろう。どこかで時計が七回鳴った。

「時間を守る人だね。家賃の期限も守ってほしいけど」

「こういうものがあります」私は背広のポケットからマサチューセッツ工科大の職員たることを明記した書類を出した。まちがいなく工大の人間だという証明のつもりで持ってきたのだ。

彼女はじっと文面をにらんでから、ただの紙切れというよりは山盛りのディナー皿でも持つように、ていねいに指に力を込めて私に返した。眼鏡をかけているわけでもないので、はたして読んだといえるのだろうかと思った。

「この前の人は時間にだらしなくてね。まだ払いが八ドル残ってるのよ。ハーヴァードの学生も落ちたもんだわ。うちはハーヴァードか工大しか貸さないわよ。どう、工大は?」

「いいところです」

「戸締まりした?」

「はい、しました」

彼女は坐った椅子の横側をぺしゃりと打って、あんたもお掛けと言った。ちょっと黙ったと思ったら、まるで自分だけが有する知識であるように、

「月にアメリカの旗が立ったのよ!」

「はい、そうです」

このときまで私は月ロケットのことをたいして気にかけていなかった。もちろん新聞はその話題で持ちきりだ。二人の飛行士が「静かの海」に降り立ったという。文明の歴史が始まって以来、もっとも遠くまで行った人間だ。二時間以上にわたって月面を探査し、石をポケットに詰め、状況を述べ(崇高な荒涼だそうだ)、大統領と電話し、月の地面に旗を立てた。人類史上の壮挙と称《たた》えられる旅だった。『グローヴ』紙には全面写真が載った。飛行士はふくらんだ宇宙服を着ていた。あの日曜日の午後、軟着陸の瞬間に、ボストンの誰それが何をしていたという記事もあった。ある男性はスワン形の足漕《あしこ》ぎボートに乗ってラジオを耳にあてていたと言った。

ある女性は孫のためにロールパンを焼いていた。

大きな声が言った。「月に旗だって！ ラジオで言ったのよ。すごいことじゃないの」

「はい、そうです」

だが、私の答えには納得しなかったらしい。ずばり命令が来た。「すごいって言いなさいよ」

これには調子が狂うようでもあり、少々軽く見られているような気もした。何となく、かけ算の表を覚えさせられた子供の頃を思い出した。タリガンジの学校で、一つだけの教室の床にあぐらをかいて坐り、裸足《はだし》で、鉛筆もなく、先生を真似《まね》て繰り返していた。結婚式の記憶もよみがえった。僧侶《そうりょ》のあとからサンスクリットの詩句を延々と繰り返し、自分が何を言っているかも不明なのに、それで妻と夫婦になった。

「…………」

「すごいって言いなさい」またしても大声だ。

「すごいです」私は口ごもった。だが、もう一度思いきり声を張って言わないと、彼女には聞こえないようだった。もともと私は静かにしゃべるほうで、しかも会ったばかりの老女に向かってどなるのも気が進まなかったが、ご当人は意に介さないらしか

った。むしろそれでよかったのかどうか、次なる命令は、

「部屋を見てらっしゃい！」

私は椅子を立って、カーペット敷きの狭い階段をあがった。似たり寄ったりに狭い廊下の左右に二つずつ、突き当たりに一つ、計五つのドアがあった。一つだけ半開きになっていた。

なかをのぞくと、傾斜した天井の下にツインベッド、茶色い楕円形《だえんけい》のラグ、配管がむき出しの洗面台、整理簞笥《だんす》、というようなものが見えた。白く塗ったドアはクロゼットで、もう一つのドアはトイレと風呂場《ふろば》だ。壁紙はグレーとアイヴォリーの縞《しま》模様。

窓が開いていた。ネットのカーテンが風にそよぐ。これを持ち上げて、外の景色を見た。小さい裏庭に数本の果樹が立ち、物干しロープには何も掛かっていなかった。いいところだ、と思った。階段の下から詰問《きつもん》の声が響いた。「あんた、どうする？」

ロビーへもどって、こちらの返事を伝えると、彼女はテーブルから革のがま口を取り上げ、口金を開けてなかをまさぐってから、細い針金の輪につけたキーを出した。奥のほうにキッチンがあって、客間を突っ切っていけるのだそうだ。あとで元通りにするなら調理台を使ってもかまわない。シーツとタオルを用意してもくれるが、洗

うのは自分の責任でやれということだ。家賃は毎週金曜日の午前中に、ピアノの鍵盤《けんばん》の上あたりに置いておく。「女の来客はご法度《はっと》！」「これでも妻がおります」こんなことを人前で口にしたのは初めてだ。だが聞こえなかったのだろう。「女はご法度」と、だめを押された。ミセス・クロフトという名前を、その人は言った。

妻は名をマーラといった。結婚を仕組んだのは私の兄夫婦である。話を持ちかけられたときの私は、拒みもしないが乗り気でもなかった。どんな男でも通る道だというくらいに思っていた。ベレガータの学校で先生をしている人の娘だという。料理も編み物も刺繍《ししゅう》も達者で、風景画の心得があって、タゴールの詩を朗唱できるというのが仲人口《なこうどぐち》だったが、さすがの賢女も色白ではないという事実を如何《いかん》ともしがたく、あからさまに断られて縁遠くなっていたらしい。

二十七歳。そろそろ親が心配をつのらせる年頃だ。いつまでも嫁に行かないのは困るというわけで、一人娘に地球を半周させてまで手離す気になったのだ。

五日間、私たちは共寝の夜をすごした。毎晩、コールドクリームをつけて、編んだ髪の先を黒の木綿糸で結わえると、妻は私に背を向けて泣いていた。実家が恋しかったのだ。

数日のうちに、ふたたび私はインドを発《た》つことになっていたが、すでに婚家の一員たることを求められる妻は、六週間、兄夫婦と同居するのが当然と見なされた。炊事をし、洗濯をし、客が来れば茶菓でもてなす。

私は妻にやさしい言葉をかけるようなことをしなかった。ベッドの片側に寝そべり、懐中電灯の明かりでガイドブックを読み、旅に思いを馳《は》せていた。

壁の向こうの小さな部屋へ考えがまわることもあった。もとは母の部屋だった。いまでは無人といっていい。母が寝ていた粗末な板の寝床には、トランクや古い寝具が積み上げられていた。六年近く前になるが、ロンドン行きを控えた私は、そこが母の臨終の床になるのを見た。死の直前、自分の糞便《ふんべん》をもてあそぶ母を見ていた。火葬に先立って、私は母の爪についた汚れを、残らずヘアピンでかき出してやった。それから、兄がどうしてもできないと言うので、私が代わって長男の役をつとめ、母のこめかみに炎をつけて、苦しんだ魂を天へ解き放った。

翌日、私はミセス・クロフト邸の一室へ引き移った。ドアを開けて入ると、彼女はピアノの椅子に坐《すわ》っていた。昨晩と同じ位置にいる。黒のスカート、糊のきいた白ブラウス、膝の上で組んだ手の具合。どれをとっても同じなので、あれから一晩ずっと椅子に坐りきりではなかったのかとさえ思えた。

私はスーツケースを運び上げ、キッチンで魔法瓶に熱い湯を入れて、仕事に出かけた。夕方、大学から帰ってくると、またしても彼女に動いた気配がなかった。

「お掛けなさい！」と、椅子の上をたたく。

私は彼女とならんで腰かけた。買物袋を持っていた。朝のうちにキッチンを見たら、鍋釜《なべかま》、包丁のたぐいに予備はなさそうだったので、またしても牛乳とコーンフレークとバナナを買い込んできたのだった。シチュー鍋が二つあるにはあったが、どちらも冷蔵庫の中で茶色っぽいスープが入ったままだったし、そのほかはレンジに銅のやかんがのっているだけだった。

「ただいま帰りました」

戸締まりをしたかと彼女が言い、しましたと私が言った。

ちょっとだけ間をおいてから、いきなり彼女は疑わしさとうれしさを昨夜と同じような割合に盛り込んで、大きく叫んだ。「月にアメリカの旗が立ったのよ！」

「はい、そうです」

「月に旗よ。すごいじゃないの」

さて次にどうなるかと畏怖《いふ》しながら、私はうなずいた。「はい、そうです」

「すごいって言いなさい！」

今度は私が少しだけ間をおいた。この家には二人だけだと承知しているくせに、立ち聞きでもされたらいやだと思って左右を見てしまった。馬鹿《ばか》丸出しの気分だが、これくらいですむなら言うことをきこうというつもりで、「すごいです！」と声を張った。

ほどなく習慣のようになった。朝、私が図書館へ行こうとすると、ミセス・クロフトは階段とは反対側の寝室に引っ込んでいるか、さもなくばあの椅子に坐って、私などは眼中になく、ラジオのニュースかクラシック音楽を聴いていた。だが私が帰ったときは、例の問答がある。椅子をたたいて隣に坐らせ、月に旗が立った、あれはすごい、と仰《おお》せになる。私もすごいと言って、そのあとは二人とも黙っている。

いかにも決まりが悪くて、果てしなく続くように思えたのだったが、この毎夜の会合はせいぜい十分ほどのものだったろう。いやでも彼女が眠くなってしまうのだ。突然かくんと首が傾いたところで、私は部屋へ引きあげることができた。もちろん、もう月に旗は立っていなかった。旗が倒れたことを、地球へ帰還する飛行士たちは知っていた。新聞には書いてあったが、そんなことを彼女に言えたものではなかった。

金曜日の朝、第一週目の家賃を入れようと、客間へ行って、ピアノの譜面台に金をのせた。鍵盤が古ぼけていて、一つキーを押してみたが音は出なかった。家賃の八ドルは封筒に入れ、ミセス・クロフトと宛名《あてな》のように書いておいた。現金を出しっぱなしにするというのには馴染《なじ》めないものがあった。

私の位置からだとテント形のスカートが横から見えた。長椅子に坐ってラジオを聴いている。わざわざ立ってきてもらうまでもあるまい。歩いているところは見たことがないし、いつも丸テーブルに立てかけてある杖から察しても、歩くのが大儀なのだろう。私が近づくと、彼女はじろりと目を上げて、まるで詰問調に、

「何か用？」

「はあ、家賃です」

「家賃なら鍵盤の上！」

「持ってきたんです」と、私は封筒を差し出したのだが、膝《ひざ》に組まれた彼女の手は指一本動かなかった。私は軽く頭を下げて、彼女の手をかすめそうな高さに封筒を寄せた。いくぶんか間をおいて彼女は受け取り、うなずいてみせた。

その晩、私が仕事から帰っても彼女は長椅子《ながいす》をたたかなかったが、何となくいつも

のようにならんで坐った。戸締まりをしたのかと訊《き》かれたが、もう月の旗とは言われずに、

「ご親切だったね！」

「は、何ですか」

「あんた、親切だよ」

まだ封筒を手にしているのだった。

日曜日、私の部屋をノックする人がいた。かなり年のいった女性で、ヘレンと名乗った。ミセス・クロフトの娘だという。部屋へ入ってきて、変わったところがないかさぐるような目を四方の壁に走らす。クロゼットに下がっているシャツ、ドアノブにかけたネクタイ、小さいタンスの上にコーンフレークの箱、ちゃんと洗っていないボウルとスプーンが洗面台の流しに……。

背が低く、腰まわりに厚みがあった。銀髪を切りつめ、派手なピンクの口紅をつけている。袖無《そでな》しのサマードレスを着て、白いプラスチックビーズのネックレスをして、チェーンで吊《つ》った眼鏡が胸の上でブランコのように揺れていた。うしろ姿の脚には青黒い血管がまだらに浮いて、しなびた二の腕の皮膚は焼きナスの表面のようだった。

マサチューセッツ・アヴェニューを北へ行ったアーリントンという町に住んでいるそうだ。「週に一回、食べるものを届けに来るのよ。あなた、まだ出てけって言われない？」

「はあ、うまくいってます」

「悲鳴あげて逃げる学生もいるからね。あなたは気に入ったみたいよ。下宿人のことをジェントルマンなんて言ってたもの。初めてだわ」

「いえいえ」

私の足に彼女の目が行ったようだ（いまだに室内で靴をはくことに違和感があり、自分の部屋へ入るときには脱いでしまっていた）。「ボストンは初めて？」

「アメリカが初めてです」

「どこから？」と、眉《まゆ》が上がった。

「カルカッタです。インドの」

「あら、そう。一年ばかり前にブラジルの人を置いたこともあったけど。まったくケンブリッジも国際都市だわね」

私はうなずいた。こんな調子でいつまで話がつづくのだろうと思ったが、そのとたんにミセス・クロフトの電撃のような声が階段を突き上げてきた。廊下へ出ると、まだ下でどなっている。

「早く降りてらっしゃい！」

「どうかしたの？」ヘレンがどなり返した。

「早く！」

私はすぐ靴をはき、ヘレンは吐息を漏らした。

階段を降りたのだが、二人ならんで歩けるほどの幅がないので、私はヘレンのあとに続いた。ヘレンはちっとも急がない。途中で、膝が片方思わしくないのだと言った。「ねえ、杖《つえ》なしで歩いてるんじゃないの？」ヘレンが大きく呼びかける。「あの杖なしで歩いちゃいけないことになってるんだからね」

ヘレンは一時停止して手すりにつかまり、私のほうへ振り返って、「よく転ぶのよ」

このとき初めてミセス・クロフトが弱い人間であるように思えた。私の脳裏に浮かんだのは、椅子の前で仰向《あおむ》けにひっくり返って、天井をにらんで、爪先《つまさき》がてんでな方を向いているという姿だった。

だが、階段の下まで行ってみれば、いつものように膝に手を組んで坐っていた。足元に食品の袋が二つある。私たちが前に立っても、椅子をたたきもせず、お掛けなさいとも言わなかった。おっかない目つきだ。

「どうしたの、おかあさん」

「不謹慎だ！」

「何の話よ」

「夫婦でもない男と女が後見人もなくこっそり話をしてるなんて不謹慎だ」

ヘレンは六十八歳だそうだ。私の母親みたいな年格好であるのに、それでもミセス・クロフトは、話があるなら一階の客間ですればいいと言う。それにまたヘレンくらいの女が自分から歳《とし》を明かすのも、裾《すそ》が足首よりだいぶ上がったドレスを着るのも、不謹慎であるらしい。

「言っときますけどね、おかあさん、いま一九六九年よ――。これだもの、ひょっとして外出できるようになったとして、ミニスカートの娘でも見たら、どうなっちゃうだろう」

ミセス・クロフトは鼻を鳴らした。「そんなのは警察につかまえてもらうよ」

ヘレンはやれやれと首を振って、食品袋を一つ持ち上げた。もう一つを私が持ってキッチンへついていった。どちらの袋も缶詰のスープでふくらんでいた。これを一つずつヘレンが缶切りでぎこぎこ開けていった。シチュー鍋に入っていた古いスープを流しに捨ててしまうと、水道で鍋を洗い、いま開けたスープを入れて冷蔵庫にしまった。

「何年か前は、缶詰くらい一人で開けられたんだけどね。いまだって、あたしに開けてもらうのが気に入らないみたい。でもピアノで手をおかしくしてしまったから」

ヘレンは眼鏡をかけ、戸棚を見やって、私のティーバッグを見つけた。「お茶にしましょうか」

私はやかんに水を入れて、火にかけた。「ええと、いまのお話ですが……ピアノ、ですか？」

「昔はね、ピアノを教えてたのよ。四十年。父が死んでから、そうやってあたしたちを育てた」

ヘレンは手を腰にあて、開いている冷蔵庫をのぞいた。奥のほうへ手を伸ばすと、紙に包んだ棒状のバターを取り出し、顔をしかめて、ゴミ箱に捨てた。「おかしくもなるわ」と言い、まだ開けていない缶を戸棚に置いた。

私はテーブルについて、ヘレンを見ていた。ヘレンは皿を洗い、ゴミ袋の口を縛って、流しの上の折鶴蘭《おりづるらん》に水をやり、二つのカップに湯をそそいだ。その一つを、ミルクは入れず、ティーバッグの紐《ひも》をカップから垂らしたまま私に寄こすと、自分でも坐った。

「あのう、それでいいんですか？」

ヘレンはお茶に口をつけた。カップの縁に笑った唇のような跡がピンク色についた。

「何がいいって？」

「鍋のスープですよ。それだけで食事になるんですか？」

「ほかのものはいやがるのよ。固形物は食べなくなったわ。あれは百歳になってからだから、三年前だわね」

しまった、という気持ちが私にはあった。ミセス・クロフトは八十いくつ、せいぜい九十だろうという見当だった。一世紀を超えて長生きした人を私は知らなかった。その人が寡婦《かふ》であるということが、なおさら遺憾なのでもあった。私の母は寡婦になって精神を狂わせた。

カルカッタの中央郵便局で窓口業務をしていた父が脳炎で死んだとき、私は十六歳だった。父のいない生活に、母はどうしても馴染めなかった。ずぶずぶと暗い世界に沈み込んでいく母を、私も兄も気遣わしげな親類も、ラシュビハーリ通りの精神科医も、救い出すことはできなかった。

何より心が痛んだのは、あまりにも無防備に自分をさらけだす母の姿だった。恥も外聞もなく食事のあとでゲップをし、客の前で放屁《ほうひ》する。

父の死後、兄は学校をあきらめてジュート工場に勤め、そこでの地位を上りつめて、一家の暮らしを支えた。だから、まるで算盤玉《そろばんだま》を動かすように何度も腕輪を数えている母のそばで、試験勉強に励むのが私の役割になった。見張っていないと何をするかわからなかった。半裸でふらふらと市電の停車場へ行ってしまい、あわてて家に連れもどしたこともある。

「これからは夕食のスープをあたためてあげたいと思うんですが……」私はティーバッグをカップから浮かして絞った。「おやすいご用ですから」

ヘレンは腕時計に目をやって立ち上がり、カップの飲み残しを流しに捨てた。「あたしならやめておくけど。そういうことが、かえって惚《ぼ》けるもとなのよ」

その晩、ヘレンがアーリントンへ帰ってしまい、ふたたび家の中がミセス・クロフトと私だけになると、何だか心配になってきた。いかに高齢であるかわかってみれば、真夜中や、私が出かけている日中に、不慮の事故でもないだろうかと気がかりだった。ああいう猛烈な声を出して、えらく威勢のよいお婆《ばあ》さんだが、なにしろ年が年だから、ちょっと傷を負った、咳《せ》き込んだ、というだけで命取りになることもあり得よう。生きている毎日が一日ごとに奇跡のようなものだ。ヘレンは気さくな人らしく思えたが、いざとなったら私の注意不足を咎《とが》めないとはかぎらない。そういう懸念《けねん》も、どこかにあった。そのヘレンはというと、べつに不安がないのか、ただ行ったり来たりするだけのこと。日曜日のたびにスープを持ってくるのだった。

この年の夏、そうやって六週間が過ぎた。夕方、図書館の勤務を終えて帰ると、かならずミセス・クロフトとピアノ用の椅子に同席して、しばらく坐《すわ》っていた。これもつきあいということで、戸締まりは大丈夫ですと言い、月に立った旗がすごいですと言った。

彼女が眠り込んでしまったのに、まだ長いこと坐っていた晩もある。この人が地球上に存在してきた時間への畏敬《いけい》が、依然として私にはあった。ときどき彼女が生まれた世界を想像してみたりもした。一八六六年。長い黒スカートの女ばかりで、客間と称される部屋にあって清らかな談話が行われる――。

いま、その手を見れば、関節が腫《は》れたようになって、膝に組まれている。すらりと滑らかな手が、鍵盤《けんばん》をたたいていたこともあったのだ。

ときおり寝しなに階段を降り、彼女がちゃんと椅子に坐っているか、うまく寝室へ行ってくれたかと見ることもあった。金曜日には家賃を手渡しで持たせるようにした。そんな程度にしか態度に表せることがなかった。彼女の息子というわけではないのだし、週八ドルのほかに義理があるのでもない。

八月の末、マーラのパスポートと滞在許可が整った。いつ飛んでくるのか電報で知らされた。カルカッタの兄の家には電話がない。その頃、妻からの手紙も受け取っていた。実際には別れてから数日のうちに書いたものらしい。呼びかけもなく本文が始まった。夫婦とはいえ、すんなり名前で呼べる仲には至らなかったということだ。本文も二、三行しかない。「旅にそなえて英語で書きます。こちらで私は大変さびしいです。そちらは大変寒いですか。雪ですか。マーラより」

とくに心を打たれる感じでもなかった。一緒に過ごしたのはほんの何日かだけだった。それでも伴侶《はんりょ》ということになっている。六週間、彼女は手首に鉄の腕輪をして、髪の分け目に朱色の粉をつけて、人妻たる証《あかし》を世間に向けていたのだろう。これまでの六週間、私は彼女の到着を、たとえば暦の上で月が変わる、季節が変わるというのと同じように――つまり、そうなるのは止められないが、なったからどうということもないものとして考えていた。ろくに知らない女なのだ。顔立ちのどこかがひょいと思い出されることはあっても、顔全体を思い描くことはできなかった。

手紙が来てから数日後、通勤でマサチューセッツ・アヴェニューを歩いていたら、反対側の歩道でインド系の女がサリーの端を引きずりそうにして、ベビーカーを押していた。そこへアメリカ人の女が黒い子犬を連れて来合わせたのだが、その犬がいきなり吠《ほ》えかかった。

こちら側から見ていると、インドの女が不意をくらって立ち止まったところへ、飛びついた犬がサリーの端をくわえて引っぱった。アメリカの女は犬を叱《しか》りつけ、どうやら謝っていたようだが、すぐに立ち去り、インドの女だけが歩道の真ん中でサリーの具合を直し、泣く子を黙らせようとしていた。

見ている私には気づかなかったらしく、インドの女はそのまま歩き出していった。ああいう小さな不幸が遠からず他人事《ひとごと》ではなくなるのだ、とこの朝に知った。マーラを受け止め、守ってやることが私の義務になる。彼女にとって初めての雪用ブーツや冬コートを買わなくてはなるまい。どういう界隈《かいわい》へは行くな、車はどっちから来る、サリーの端を引きずって歩くな、と言わねばなるまい。十キロたらず親元を離れても――そう思い出すといささか焦《じ》れったくなったが――泣いてしまった女なのだから。

マーラとは違って、私はもう慣れたものだった。たとえばコーンフレークと牛乳、ヘレンの来訪、ミセス・クロフトとピアノ椅子《いす》に坐ること。私が慣れていないのはマーラだ。

だが、ともかく私は役目を果たした。大学の住宅窓口へ行って、さほど遠くないところに家具付きのアパートを見つけた。ダブルベッドがあって、専用のキッチンとバスがある。週に四十ドルだ。

ある金曜日、それが最後になる八枚のドル紙幣を封筒に入れてミセス・クロフトに渡し、スーツケースを一階へ下ろして、ほかへ移ることを申し出た。私が返したキーを彼女はがま口にもどした。テーブルに立てかけた杖を取ってくれ、というのが私に言いつけた最後だった。玄関まで行って私が出たあとに鍵《かぎ》をかけるのだそうだ。「じゃあ、さよなら」と言うなり、奥へ引っ込んだ。べつに名残を惜しんでもらおうとは思わなかったが、それにしてもあっさりしたものだ。ただの下宿人で、なにがしかの金を払って六週間この家に出入りしたというにすぎなかったのだろう。一世紀にくらべれば無いに等しい時間である。

空港での私はすぐマーラを見つけられた。サリーの端は下に垂らさず、人妻の慎みとして頭巾《ずきん》のように巻いていた。母も父が死ぬまでそうしていた。

茶色い肌の細腕に金の腕輪をいくつもつけて、額には小さな赤丸があり、また足先を縁取るように赤い染料で飾っていた。その彼女を私は抱き寄せることもなく、キスもせず、手さえ握らなかった。アメリカへ来てから初めてベンガル語を口にして、腹が減っただろうと言っただけである。

彼女はやや迷ってから、はい、とうなずいた。

玉子カレーをつくってある、と私は言った。「機内食は何が出た？」

「食べませんでした」

「カルカッタからずっと？」

「牛の尻尾《しっぽ》のスープだそうだから」

「ほかのメニューもあったろうに」

「あんなのが食べものになると思っただけで、食欲がなくなって」

アパートへ帰ってから、マーラはスーツケースを一つ開けて、私にセーターを二着くれた。どちらも明るい青のウールで、夫婦が離れている間に編み上げたのだという。一方はVネックで、もう一方は縄編みだった。着てみると、二着とも脇《わき》の下がきついように感じた。

さらに彼女は、紐のついた新品のパジャマ式ズボンを二本、兄からの手紙、ダージリン茶の小箱を持ってきていた。私からは玉子カレーのほかに差し出すものがない。わびしいテーブルの席について、どちらも皿に目を落としていた。手で食べるというのも、私には渡米以来の珍事だった。

「いいお家《うち》ね——。このカレーも」彼女は胸元のサリーの端を左手で押さえて、頭に巻いた形を崩すまいとしていた。

「自炊できるレパートリーが乏しくてね」

彼女はうなずいた。ジャガイモが出るたびに皮をむいて食べている。サリーが肩まで落ちたときには、すぐまた頭にまわした。

「いいじゃないか、隠さなくたって。かまわないよ。いいんだ、ここでは」

それでも彼女はかぶっていた。

私は彼女に慣れようとした。身近にいて、食卓にいて、ベッドにもいる存在に、じっくり慣れるつもりでいたのだが、一週間たってもまだ他人のような気がした。ほかのライスが匂《にお》うアパートへ帰り、洗面の流しがきれいに拭《ぬぐ》ってあって、歯ブラシが二本そろって置いてあって、インドから持ってきたイギリス石鹸《せっけん》が所定の位置についている、というようなことにとまどいが消えなかった。一晩おきくらいに彼女が頭の地肌にすり込むココナツ油の香りにも、そこいらを歩けばかすかに鳴る腕輪の音にも、まだ不慣れなのだった。

早起きなのも彼女だった。最初の朝、私がキッチンへ行くと、もう彼女は昨夜の残り物をあたため、スプーン一杯の塩を添えた皿をテーブルに出していた。ベンガル人の男ならライスで朝食が当たり前と考えたのであろう。シリアルでいいのだと私が言えば、次の朝は私のボウルでコーンフレークが出されていた。

ある朝、マサチューセッツ・アヴェニューから大学までの道を歩いて、学内をざっと案内してやった。途中で金物屋に立ち寄り、キーのスペアをつくった。これで彼女も一人でアパートに出入りできる。

翌朝、出かける前に、いくらかお金をくださいと言われた。少々引っかかるものはあったが、これもまた当然のことなのだろうと思った。仕事から帰ると、キッチンの引き出しにジャガイモの皮むき器があり、テーブルにクロスが広がって、真新しいニンニクとショウガを使ったチキンカレーが火にかかっていた。

当時、うちにはテレビがなかった。夕食のあと、私は新聞を読み、マーラはキッチンのテーブルにいて、あの青いウールとおそろいの糸で自分用のカーディガンを編んだり、インドへの手紙を書いたりしていた。

そうやって一週間がたった金曜日、ちょっと出かけてみないかと私は言った。マーラは編み物を下に置いて、バスルームへ消えた。あらわれた姿を見て、誘うのではなかったと思った。小ざっぱりした絹のサリーをまとい、いつもより腕輪の数が増えていた。髪は巻き上げて、横の分け目を見せていた。パーティーか、どう控えめに見ても映画にでも行くようないでたちなのだが、そういう当てが私にあったわけではない。夕方の空気が心地よかった。レストランや店のウィンドーをのぞきながらマサチューセッツ・アヴェニューをそぞろ歩いているうち、私はふと、あの静かな道へ彼女を伴っていた。幾晩も一人で歩いた道だ。

「この間まで、ここに住んでたんだ」私はミセス・クロフトの金網フェンスで足を止めた。

「こんな大きな家に？」

「下宿だよ。小さな部屋だった。二階の奥の」

「どんな人がいるの？」

「すごく年とった女の人」

「ご家族も？」

「一人さ」

「誰が世話してるの？」

私は門を開けた。「普段は一人でも平気なんだよ」

私のことを覚えているだろうか。ひょっとして別の下宿人を毎晩あの椅子に坐らせているのではなかろうか。

玄関のベルを押した。初めて来た日には、まだキーもなくて長いこと待たされた。そのようになるかと思ったら、間もなくドアが開いて、ヘレンがいた。ミセス・クロフトは椅子に坐っていなかった。そもそも椅子がない。

「あら、こんちは」相変わらずピンク色の口紅をつけたヘレンが、マーラに笑顔を向けた。「母なら客間にいるわ。行ってやってくれる?」

「それはもう」

「だったら、あたし、ひとっ走り買い物してきていいかしら。ちょっとした事故があってね、もうこの頃は目を離せないったらありゃしない」

ヘレンが出ていったあとのドアをロックして、私は客間へ行った。ミセス・クロフトが仰向《あおむ》けに寝ていた。ピーチカラーのクッションを枕《まくら》にして、白い薄手のキルトを掛けている。手を胸に組んでいたが、私を見るとソファを指さし、お掛けなさいと言った。

そのように私は坐ったが、マーラはピアノの前に場所を見つけた。つまり、あのピアノ椅子がしかるべき位置にもどっていたわけだ。

「腰骨が折れちゃった」と、まるで時間がたっていないような口ぶりで仰《おお》せになった。

「えっ、それはまた」

「その椅子から落ちたの」

「大変でしたねえ」

「真夜中だったよ。で、どうしたと思う？」

私は首を振った。

「警察呼んじゃった」

彼女は天井に目をあてて、悠然とした笑みを浮かべたので、しょぼくれた老人らしい歯並びが見えた。一本も欠けてはいない。「どう思うね？」

面食らったのは確かだが、言うべきことはわかっていた。何らの迷いもなく、「すごいです！」

するとマーラが笑った。声に優しさがあふれ、目が楽しげに輝いていた。こんな笑い声を初めて聞いた。ミセス・クロフトにさえ聞こえたようだ。マーラに顔を向けて、じろりと目をこらし、

「誰だい、ありゃ」

「妻ですよ」

ミセス・クロフトはひねった首をクッションに押しつけ、もっとよく見ようとした。

「ピアノ、弾けるかい?」

「いえ、だめです」と、マーラは答えた。

「じゃ、お立ち!」

マーラは立って、サリーの端を頭にかぶせ、胸元で押さえた。私は、彼女がアメリカへ着いてから初めて、その気持ちをわかってやれると思った。

私だってロンドンへ行ったばかりのときはそうだった。地下鉄でラッセル・スクエアへ行く道を覚え、初めてエスカレーターなるものに乗り、新聞売りの呼び声すら聞き取れず、車掌が各駅で「隙間《すきま》に注意」と言うのさえ、一年ものあいだわからなかった。

同じことだ。マーラも遠く故郷を離れ、どんなところへ行くのやら、行ってどうなるのやら当てもなく、ただ私の妻になるために来たのではなかったか。おかしなことを考えたものだが、私は心の中で、いずれこの女が死んだら私はどうかしてしまう、私が死んだらこの女がどうにかなってしまうと思った。

そういうことを何とかしてミセス・クロフトに言いたかったのだが、依然として彼女はマーラの頭から爪先《つまさき》まで静かに見下すとでもいうべき検分の目を這《は》わせていた。サリーをまとい、額に赤丸をつけて、じゃらじゃら腕輪をはめている女を見たことがないのだろうか。文句をつけるとしたら何に対してか。サリーの裾《すそ》にこすられたとはいえ、いまだ足に消え残っている赤い染料は見えているだろうか。

ようやくミセス・クロフトが言いたいことを口にした。疑わしさとうれしさを等量に込めた、あの口調だった。

「完璧《かんぺき》。いい人を見つけたね！」

今度は私が笑う番だった。そうっと笑ったからミセス・クロフトには聞かれなかったろう。だがマーラは聞いていた。そして初めて、私たちは見つめ合い、笑顔になった。

あのとき、ミセス・クロフト宅の客間での一瞬から、私とマーラの距離が縮んでいったのだと私は考えたい。すぐさま恋愛にいたったとは言わないが、どことなくハネムーンらしい日々があったように思う。

二人でボストンの町を探索し、ほかのベンガル人たちと知り合った。いまでも仲良くしている人たちが少なくない。プロスペクト・ストリートではビルという男が鮮魚を売っていることや、ハーヴァード・スクエアのカルドゥロという店ではベイリーフやクローヴのような香料が買えることがわかった。チャールズ川まで夕方の散歩をして川面《かわも》をよぎるヨットを見たり、ハーヴァード・ヤードでアイスクリームコーンを食べたりもした。

生活の記録を残そうと思ってインスタントカメラを買った。彼女が実家に写真を送れるように、プルデンシャル・ビルの前でポーズをとらせた。夜にかわすキスも、おずおずしていたのが、すぐ大胆なものに変わり、抱き合った腕の中に楽しみと安らぎがあることを知った。

ローマ号での船旅、フィンズベリー・パークやYMCA、ミセス・クロフトとならんで坐《すわ》った夜、などという話を私は彼女に語って聞かせた。私が母について話すと、彼女は泣いた。

ある晩『グローヴ』紙を読んでいてミセス・クロフトの訃報《ふほう》を目にしたとき、慰めてくれたのもマーラである。それまでの数カ月、私はあの老婦人を思い出すこともなかった。夏の六週間は、すでに薄れゆく過去のエピソードになっていた。しかし、いざ死んだと知らされると愕然《がくぜん》として、編み物から目を上げたマーラが見ると、私はぼんやりと壁を見つめ、膝《ひざ》の上の新聞も忘れて、口がきけなくなっていたらしい。あれは私がアメリカで最初に悼《いた》んだ死であった。その一生を私が仰ぎ見た最初の人だったからだろう。あれだけの齢《よわい》を重ね、ついに一人、不帰の客となった。

さて、爾来《じらい》、私は遠くへ動くことがなくなった。マーラと二人、ボストンから三十キロくらいの町の、ミセス・クロフトの家があったのと同じような並木の街路に住んでいる。持ち家だ。夏にトマトを買わずにすむくらいの菜園があり、客を泊められる部屋もある。

いまではアメリカの市民だから、時が来れば社会保障も受けられよう。何年かに一度はカルカッタへ里帰りして、紐《ひも》のついたパジャマやダージリンの茶を持ち帰るけれども、こっちが終《つい》の棲家《すみか》だと思っている。

現在は、ある小さな大学図書館に勤めている。ハーヴァードの学生になった息子がいる。もうマーラはサリーの端を頭にかぶりもせず、実家恋しさに泣く夜もないのだが、息子と会いたがって泣くことはある。だから大学のあるケンブリッジまで車で連れていってやる。また週末に息子を帰らせることもある。この家では息子も手でライスを食べ、ベンガル語を話している。私たちが死んだら、そんなこともしなくなるだろうと思わなくもないのだが。

そうやって車を走らせる際には、たとえ混んだとしても、マサチューセッツ・アヴェニューを通ることにしている。いまとなっては昔のままの建物は有るか無いかというところだが、とにかく通りさえすれば、たちまち私はあの六週間に、ついこの間のことのように引きもどされていく。そしてスピードを落とし、ミセス・クロフトの家があった街路を指さして息子に言う。ここに私のアメリカでの最初の家があったのだ、そこで百三歳の人と暮らしたのだ――。

「覚えてる?」と言って、マーラが顔をほころばす。夫婦に他人みたいだった時期のあることが不思議でたまらないのである。私だってそうだ。

いつも息子は、ミセス・クロフトの年齢よりも、私が払った家賃の安さに驚いている。一八六六年生まれの女性にとって月に旗が立ったというのと同様、およそ考えられないことなのだろう。

息子の目の中には、私が地球の裏まで飛び出したくなったときの野心が見てとれる。わずかな年月のうちに、息子は大学を出て、自分の力で道を拓《ひら》いていくだろう。でも私は、こいつには生きている父親がいて、しっかりした母親がいるではないか、とも思う。息子が落胆したとき私は言ってやる。この俺は三つの大陸で生きたのだ。おまえだって越えられない壁があるものか。

あの宇宙飛行士は、永遠のヒーローになったとはいえ、月にいたのはたった二時間かそこらだ。私はこの新世界にかれこれ三十年は住んでいる。なるほど結果からいえば私は普通のことをしたまでだ。国を出て将来を求めたのは私ばかりではないのだし、もちろん私が最初ではない。それでも、これだけの距離を旅して、これだけ何度も食事をして、これだけの人を知って、これだけの部屋に寝泊まりしたという、その一歩ずつの行程に、自分でも首をひねりたくなることがある。どれだけ普通に見えようと、私自身の想像を絶すると思うことがある。

訳者あとがき

小川高義

ある朝、さあ、この翻訳もそろそろ仕上げだと思いながらパソコンの電源を入れて、べつに毎朝読んでいるわけでもないインターネット版の『ニューヨーク・タイムズ』を見ていたら、偶然目に飛び込んだのが、いま訳している作家の名前だった。アメリカの日付では四月十日のニュースとして、本年度のピュリツァー賞文学部門はこの新人の短篇集に決まったというのである。こうなると無名の若手を逸早《いちはや》く紹介して手柄顔をしようという訳者の思惑はみごとに吹き飛び、二重丸の注目株をタイミングよく訳したという格好になってしまった。

ジュンパ・ラヒリは一九六七年の生まれ。昨年の六月に初めての単行本として『停電の夜に』(原題は *Interpreter of Maladies*『病気の通訳』)をホートン・ミフリン社から上梓《じょうし》した。表題作ほか全九篇からなる百九十八ページのペーパーバックで、そのうち八篇までは雑誌に発表されていた。第九篇の「三度目で最後の大陸」だけは、単行本の刊行と同月の『ニューヨーカー』にも掲載された。これは同誌が「夏の小説特集号」と銘打って、アメリカ文学の未来を背負って立つべき四十歳以下の作家を二十名選ぶという企画だった。

一度でも載せてもらえたら作家の勲章になりそうな『ニューヨーカー』に、たった一年で三回目の登場だったのだから、それだけでも特筆ものといえようが、さらに同誌の年間新人賞のほか、O・ヘンリー賞、ペン／ヘミングウェイ賞など輝かしき戦歴の持ち主となっている。「病気の通訳」は昨年の『ベスト・アメリカン・ショートストーリーズ』（エイミー・タン編）に収められた。本年度版（E・L・ドクトロー編）にも「三度目で最後の大陸」が選ばれる予定だそうだ。

ラヒリはロンドンで生まれたが、幼いときに両親と渡米し、ロードアイランド州で育った。両親がカルカッタ出身のインド人で、父は大学図書館に勤めているというところは、「三度目で最後の大陸」の設定に似ている。カルカッタの親戚《しんせき》を訪ねることもあったが、すでにアメリカでの暮らしが三十年を超え、いまはニューヨークに住んで長篇の執筆にかかっているようだ。

訳者の見るところ、その美質は細やかさと視点にある。緻密《ちみつ》な観察力を土台にした肌理《きめ》の細かい文章は、それだけで魅力的だ。物語の運び方としても、たいした大事件を起こすわけではなく、また民族性を振りかざしてドラマを盛り上げることもしない。それでいて、何らかの意味でアメリカとインドの狭間《はざま》に身を置いた人々の、いつもの暮らしの中に生じた悲劇や喜劇を、じっくり味わわせてくれる。

日本語版の表題作にした第一篇「停電の夜に」では、初めての子の死産以来、何かとすきま風の吹いていたインド系の若い二人が、電気の消えた夜の闇《やみ》で夫婦仲を回復するのかどうか——という機微を、読者の予想をたくみに裏切りながら、まさにロウソクの光のように明暗のゆらめく経過として描き出す。『タイムズ・オブ・インディア』紙の報道によると、この作品はミラ・ナイール監督が映像化する予定だという。日本でも見られるとよいのだが。

視点の変更が自在であることは、豊かな想像力の証拠だろう。九篇のうちラヒリ自身と似たような立場、すなわち移民二世としての育ちが明らかな主人公は、第二篇「ピルザダさんが食事に来たころ」の少女くらいなものだ。あとはアメリカ生まれとは断定できない若夫婦、インドのタクシー運転手、アパートの居候《いそうろう》、インドからの移民一世、さらにはアメリカの白人女性、白人少年、というように多彩な目の位置から物語が進められる。原題に「通訳 interpreter」という語が入っているとおりで、何かしらの異なるものに触れたとき、それをどうにか自分のわかるようなものに解釈しようとする試みが、作品の随所で行われている。

たとえば「ピルザダさんが食事に来たころ」であれば、バングラデシュからの客を迎えたアメリカ在住のインド系少女が、その男の家族関係を想像できるようになり、初めて「はるかに遠い人を思うということ」を知る。また第六篇「セン夫人の家」では、一風変わった子守係であるインド女性との交流によって、白人の少年が彼女の暮らしの中にあるよるべなさを察し、いままでよりも自分の淋《さび》しさを我慢できるようになる。

ラヒリが好んで取り上げるテーマが「結婚」であるということも、その延長で理解できるかと思う。男女の出会いもまた理解と誤解が交錯する異文化の接触なのだから。そこでは第一篇「停電の夜に」のようにアメリカ社会での職業的成功の度合いによって、あるいは第七篇「神の恵みの家」のようにアメリカ文化（社交や宗教）への融通がきくかどうかによって、夫婦が予想外の溝を経験するかもしれない。第三篇「病気の通訳」では、観光タクシーの運転手が、客であるアメリカナイズされた夫婦にひょっとしたら亀裂《きれつ》があるのではないかと解釈し、そこに自らの妄想を忍び込ませる余地を見いだしたのだが、これは語学に達者な彼としては、うっかり誤訳したケースだったろうか。

英字紙の書評を見るかぎりでは、アメリカのみならずインドでも評判がいいらしい。そのインドには住んだことがないとラヒリはインタビューに答えているが、かなり長く滞在したことはあって、インドとの関係は作家になる上で見逃せない要素だったとも言っている。両親の故郷であるカルカッタへ行くと、一応は部外者でありながら、さりとて単なる旅行者でもなかった。親戚の子供が通う学校に彼女だけは行かず、人々を観察しては文章を書いている少女だった。いわば完全に内部でも外部でもない周辺的な位置からカルカッタを見たことに、あとで作家となる原点があった。

九篇中、まったくアメリカとは関わらずインドだけを舞台とする二篇、すなわち「本物の門番」と「ビビ・ハルダーの治療」においても、その主役は社会の中で周辺的な身分にある者たちだ。そこには「あの町にいて周辺的だと感じる私の気持ちの投影」があるとラヒリは言う。その事情はアメリカにいるときでも大差なく、「移民またはその子供にとっては、暮らしている場所がホームであるとは言いきれない」。だから、人づきあいをするよりは、図書館へ通って本を読むほうが、子供時代のラヒリには「安全な」時間の過ごし方だった。

大人になった彼女は、大学院へ進んで研究者になる人生を考えていた。ある時期からは作家を第一志望にしたものの、結局、修士号を三つと博士号を一つ取得している。一九九七年十月、飛躍への転機が訪れた。マサチューセッツ州プロヴィンスタウンにあるファインアーツ・ワークセンターに参加できたのである。毎年、千人を超える芸術家の卵が応募して二十人に絞られるという狭き門だが、採用されてしまえば七カ月にわたって生活を保障され、ひたすら創作に専念できる。

それからのラヒリは、あっという間に階段を駆け上がった。この年の暮れから翌年にかけて、エージェントがついて、単行本の企画が出て、『ニューヨーカー』に作品が載った。好意的な書評が相次ぎ、受賞ラッシュがあって、ついにはピュリツァー賞作家の仲間入りである。デビュー作で短篇集というのは、従来ならピュリツァー賞とは縁遠いような感じだが、あっさりと常識をくつがえした。

ラヒリのほか、最終候補まで残ったなかには、中国系のハ・ジンがいた(もう一人は九四年に受賞歴のあるアニー・プルー)。ジンは昨年の秋、全米図書賞を射止めてもいる。このような潮流は、たしかに慶賀すべきことではあるが、アジア系がめずらしがられる段階はとうに越えたということでもあるわけで、とくにインド勢のような元気のいい集団に属していると、かえって一般読者には、ああ、またか、という反応すら持たれる危険がある。その上でなお、とにかく読ませてしまって、たしかに並の新人ではないと納得させるだけの力量が問われる。そういう試験にラヒリは軽々と合格したのである。

まったく近年のインド系英語文学は驚くべき隆盛を見せている。一九九七年にサルマン・ラシュディが編集に加わって出版された『ミラーワーク』は、インド独立からの五十年を振り返ったアンソロジーであるが、その目次を見れば、新聞雑誌の書評欄をにぎわす名前が、まさに綺羅星《きらほし》のごとくならんでいる。ラシュディはインド人と英語の出会いをきわめて肯定的にとらえていて、いまでは古来のインド諸語よりも英語で生産される文学こそが重要なのだと考える。英語文学というインドの中では「若い」分野に有能な人材がひしめいて、たとえばメルカトル図法の地図がインドを不当に小さく描いたような状況を、文学的には脱しつつあるのだとも言う。

残念ながらデビューのタイミングからして、この本に収録されることはなかったが、ラヒリも錚々《そうそう》たる諸先輩に決して引けをとるまい。訳者としての仕事が一段落したいま、あえて好みを言うならば、「三度目で最後の大陸」を一押《いちお》しに挙げたい。移民男性の一人称語りに視点を据えて、しかも男の名前を明かさず（この点ではインド女性が夫の名前を呼ばないという習慣に助けられたろうか）、したがって誰の物語でもいいような普遍性を持たせた上で、新しい国になじむことと新しい夫婦がなじむことをリンクさせたストーリーである。作者にとっては両親の世代である移民たちへのオマージュともいえる仕上がりだ。ほとんど長篇を読んだあとのような、ずっしりした感慨が残るのではなかろうか。

（二〇〇〇年七月）

本書は、新潮社クレストブックスの一冊として刊行されて以来、訳者の予想をはるかに上回って順調に版を重ねた。作家の知名度にかかわらず、よい作品は読まれるという気運の醸成に、少しでも寄与できたとしたら、訳者にとって大きな喜びである。デビューしたばかりの作家に、太平洋のこちら側から応援の旗振り役を務められたと思っている。新聞雑誌の書評欄でも高く評価していただいたが、とりわけ故向井敏氏による書評（『東京人』二〇〇一年二月号）には、訳者の心の中まですっかり読まれたような、ぞくぞくする興奮を覚えた。

今回、新潮文庫に加えられて、さらに多くの読者が得られることをラヒリのために喜びたい。なお、わずかながら字句の修正を施したところがある。

（二〇〇三年一月）

この作品は平成十二年八月新潮社より刊行された。

カポーティ
川本三郎訳
叶えられた祈り
ハイソサエティの退廃的な生活にあこがれるニヒルな青年。セレブたちが激怒し、自ら最高傑作と称しながらも未完に終わった遺作。

P・オースター
柴田元幸訳
ムーン・パレス
日本翻訳大賞受賞
世界との絆を失った僕は、人生から転落しはじめた……。奇想天外な物語が躍動し、月のイメージが深い余韻を残す絶品の青春小説。

P・バック
新居格訳
中野好夫補訳
大地
（一〜四）
十九世紀から二十世紀にかけて、古い中国が新しい国家へ生れ変ろうとする激動の時代に、大地に生きた王家三代にわたる人々の年代記。

E・ブロンテ
鴻巣友季子訳
嵐が丘
狂恋と復讐、天使と悪鬼——寒風吹きすさぶ荒野を舞台に繰り広げられる、恋愛小説の恐るべき極北。新訳による〝新世紀決定版〟。

C・ブロンテ
大久保康雄訳
ジェーン・エア
（上・下）
貧民学校で教育を受けた女家庭教師と、狂女を妻にもつ主人との波瀾に富んだ恋愛を描き、社会的常識に痛烈な憤りをぶつける長編小説。

R・バック
五木寛之創訳
かもめのジョナサン【完成版】
自由を求めたジョナサンが消えた後、彼の神格化が始まるが……。新しく加えられた最終章があなたを変える奇跡のパワーブック。

ヘレン・ケラー
小倉慶郎訳

奇跡の人
ヘレン・ケラー自伝

一歳で光と音を失い七歳まで言葉を知らなかったヘレンが、名門大学に合格。知的好奇心に満ちた日々を綴る青春の書。待望の新訳！

サリンジャー
野崎　孝　訳

ナイン・ストーリーズ

はかない理想と暴虐な現実との間にはさまれて、抜き差しならなくなった人々の姿を描き、鋭い感覚と豊かなイメージで造る九つの物語。

A・M・リンドバーグ
吉田健一訳

海からの贈物

現代人の直面する重要な問題を平凡な日常生活の中から取出し、語りかけた対話。極度に合理化された文明社会への静かな批判の書。

B・ユアグロー
柴田元幸訳

一人の男が飛行機から飛び降りる

あなたが昨夜見た夢が、どこかに書かれている！　牛の体内にもぐり込んだ男から、魚を先祖にもつ女の物語まで、一四九本の超短編。

ブコウスキー
青野　聰　訳

町でいちばんの美女

救いなき日々、酔っぱらうのが私の仕事だった。バーで、路地で、競馬場で絡まる淫猥な視線。伝説的カルト作家の頂点をなす短編集！

カ　フ　カ
頭木弘樹編訳

絶望名人
カフカの人生論

ネガティブな言葉ばかりですが、思わず笑ってしまったり、逆に勇気付けられたり。今までにはない巨人カフカの元気がでる名言集。

テリー・ケイ
兼武進訳
白い犬とワルツを
誠実に生きる老人を通して真実の愛の姿を美しく爽やかに描き、痛いほどの感動を与える大人の童話。あなたは白い犬が見えますか？

E・ケストナー
池内紀訳
飛ぶ教室
元気いっぱいの少年たちが学び暮らすギムナジウムにも、クリスマス・シーズンがやってきた。その成長を温かな眼差しで描く傑作小説。

I・マキューアン
小山太一訳
アムステルダム
ブッカー賞受賞
ひとりの妖婦の死。遺された醜聞写真が男たちを翻弄する……。辛辣な知性で現代のモラルを痛打して喝采を浴びた洗練の極みの長篇。

ルナール
高野優訳
にんじん
赤毛でそばかすだらけの少年「にんじん」を、母親は折りにふれていじめる。だが、彼は負けず生き抜いていく——。少年の成長の物語。

チェーホフ
神西清訳
かもめ・ワーニャ伯父さん
恋と情事で錯綜した人間関係の織りなす日常のなかに、絶望から人を救うものは忍耐であるというテーマを展開させた「かもめ」等2編。

ディケンズ
加賀山卓朗訳
オリヴァー・ツイスト
オリヴァー8歳。窃盗団に入りながらも純粋な心を失わず、ロンドンの街を生き抜く孤児の命運を描いた、ディケンズ初期の傑作。

新潮文庫最新刊

住野よる著
か「」く「」し「」ご「」と「
5人の男女、それぞれの秘密。知っているようで知らない、お互いの想い。『君の膵臓をたべたい』著者が贈る共感必至の青春群像劇。

北村 薫著
ヴェネツィア便り
変わること、変わらないこと。そして、得体の知れないものへの怖れ……。〈時と人〉を描いた、懐かしくも色鮮やかな15の短篇小説。

藤原緋沙子著
へんろ宿
江戸回向院前の安宿には訳ありの旅人が投宿する。死期迫る浪人、関所を迂回した武家の娘、謎の紙商人等。こころ温まる人情譚四編。

矢樹 純著
妻は忘れない
私はいずれ、夫に殺されるかもしれない。配偶者、息子、姉。家族が抱える秘密が白日のもとにさらされるとき。オリジナル・ミステリ集。

三島由紀夫著
手長姫 英霊の声
—1938-1966—
一九三八年の初の小説から一九六六年の「英霊の声」まで、多彩な短篇が映しだす時代の翳、日本人の顔。新潮文庫初収録の九篇。

塩野七生著
小説 イタリア・ルネサンス2
—フィレンツェ—
「狂気の独裁者」と「反逆天使」。——二人のメディチ、生き残るのはどちらか。花の都に君臨した一族をめぐる、若さゆえの残酷物語。

新潮文庫最新刊

沢村凜著
運命の逆流
—ソナンと空人3—
激烈な嵐を乗り越え、祖国に辿り着いた空人《そらんと》。任務を済ませ、すぐに領地へ戻るはずだったが——。異世界ファンタジー、波瀾の第三巻。

沢村凜著
朱く照る丘
—ソナンと空人4—
領主としての日々は断たれ、祖国で将軍の息子に逆戻りしたソナン。だが母の再婚相手の計画を知り——。奇蹟の英雄物語、堂々完結。

中西鼎著
放課後の宇宙ラテ
数理研の放課後は、幼なじみと宇宙人探し＆転校生と超能力開発。少し不思議でちょっと切ない僕と彼女たちの青春部活系ＳＦ大冒険。

水生欅著
君と奏でるポコアポコ
—船橋市消防音楽隊と始まりの日—
船橋市消防音楽隊。そこは部活ともプロとも違う個性溢れるメンバーが集まる楽団だった。少女たちの成長を描く音楽×青春小説。

ＮＨＫスペシャル取材班著
高校生ワーキングプア
—「見えない貧困」の真実—
進学に必要な奨学金、生きるためのアルバイト……「働かなければ学べない」日本の高校生の実情に迫った、切実なルポルタージュ。

中島京子著
樽とタタン
小学校帰りに通った喫茶店。わたしはコーヒー豆の樽に座り、クセ者揃いの常連客から人生を学んだ。温かな驚きが包む、喫茶店物語。

停《てい》電《でん》の夜《よる》に

新潮文庫　ラ－16－1

Published 2003 in Japan
by Shinchosha Company

平成十五年三月一日 発行
令和二年十一月二十日 二十刷

訳者 小《お》川《がわ》高《たか》義《よし》
発行者 佐藤隆信
発行所 株式会社 新潮社

郵便番号 一六二―八七一一
東京都新宿区矢来町七一
電話 編集部(〇三)三二六六―五四四〇
読者係(〇三)三二六六―五一一一
http://www.shinchosha.co.jp

価格はカバーに表示してあります。

印刷・株式会社精興社　製本・加藤製本株式会社

ISBN978-4-10-214211-0 C0197